KB187647

에스페란토란 무엇인가?

에스페란토의 아버지 자멘호프

이토 사부로(伊東三郞) 지음
장인자(張仁子) 옮김
장정렬 감수

에스페란토의 아버지 자멘호프

인　쇄 : 2022년 4월 18일 초판 1쇄
발　행 : 2024년 10월 18일 초판 3쇄
지은이 : 이토 사부로(伊東三郎)
옮긴이 : 장인자(張仁子) / 감수 : 장정렬(Ombro)
표지디자인 : 노혜지
펴낸이 : 오태영(Mateno)
출판사 : 진달래
신고 번호 : 제25100-2020-000085호
신고 일자 : 2020.10.29
주　소 : 서울시 구로구 부일로 985, 101호
전　화 : 02-2688-1561
팩　스 : 0504-200-1561
이메일 : 5morning@naver.com
인쇄소 : TECH D & P(마포구)

값 : 15,000원
ISBN : 979-11-91643-

에스페란토란 무엇인가?

에스페란토의 아버지 자멘호프

이토 사부로(伊東三郎) 지음
장인자(張仁子) 옮김
장정렬 감수

진달래 출판사

원서 정보

-제목: 『エスペラントの父 ザメンホフ』

(岩波新書(青版) No.30, 東京)

-저자: 이토 사부로(伊東三郎)

-출판사: 岩波書店

-1950년 4월 10일 제1쇄

-1984년 1월 23일 특장판

Ni laboru kaj esperu, estonto estas nia!

희망으로 일합시다. 미래는 우리의 것입니다!

-자멘호프(L.L. Zamenhof)-

차　　례

저자 머리말

우리는 흔히 눈앞의 작은 일엔 마음을 쏟으면서도 정작 크고 중요한 일엔 소홀히 대하는 경향이 있습니다. 인간교육이나 평생 매일매일 사용하는 말에는 깊은 생각 없이 무심코 지나칩니다.

자멘호프는 인공국제어 에스페란토를 창안한 사람으로 알려져 있습니다. 그러나 그는 이뿐 아니라 인류가 날마다 사용하는 언어 문제를 깊이 생각하고, 여기에 인간 재능과 인격을 키우는 넓고 깊은 교육 장면을 발견했습니다. 나라를 빼앗긴 불행한 국민으로 태어나 깊이 고민하며 이뤄 놓은 세계 평화를 위한 인류 교육자로서의 공적은 사람들이 아직 충분히 이해하지 못하고 있습니다. 그분은 우리에게 깊은 반성을 촉구하는 큰 가르침을 주었습니다.

나는 애독자 여러분과 함께 그분의 가르침을 살펴보며 힘껏 배워 보려고 합니다. 자멘호프가 국제어로 시도하였듯이 나는 이 책을 이야기형식으로 써보았습니다. 일본어는 아직 일상적 대화에서 쓰는 말(구어체)과 일상 담화에서는 쓰이지 않고 글에서만 쓰이는 말(문어체)이 일치하지 않습니다. 보통 책의 문어체로 이야기하면 일반 사람의 귀에는 왠지 낯설게 여겨집니다. 국민의 일상생활과 교양 사이에 알 수 없는 표면적 균열이 있음을 느낄 수 있습니다.

나는 자멘호프를 본받아 까다로운 문제도 겸손하게 이야기하려고 하기에, 여러분께 많은 이해를 구합니다. 이 작업은 논문 방식의 글쓰기보다 더욱 어렵고 힘듭니다. 나의 시도가 완전히 성공했다고는 생각하지 않습니다.

독자 여러분의 성원에 힘입어 이 시도가 성공하도록 끊임없이 노력하고 싶습니다.

1949년 11월 15일

자멘호프 탄생 90년을 앞두고

이토 사부로(伊東三郞)

저자 부인의 편지

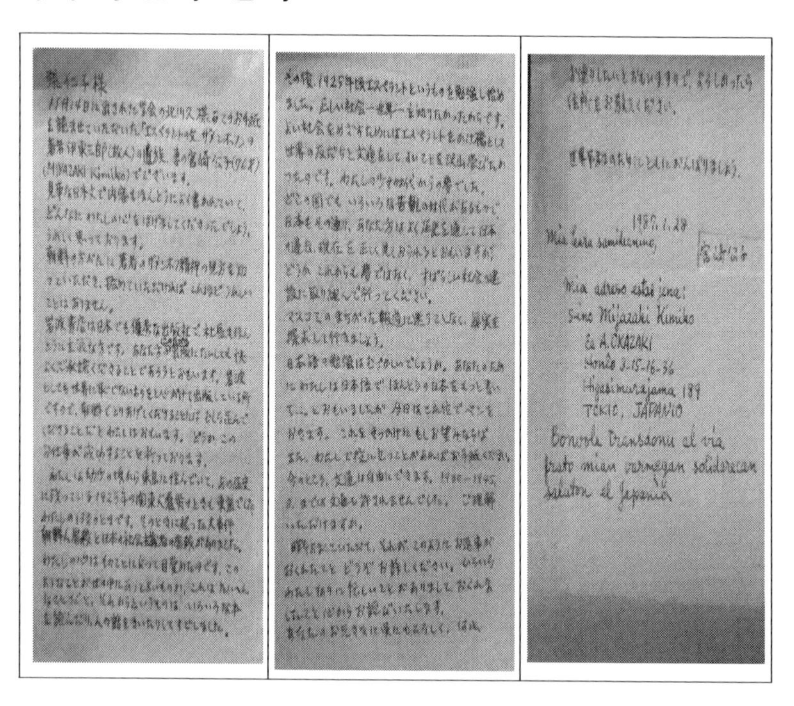
Mia adreso estas jena:
S-ino Mijazaki Kimiko
ĉe A. OKAZAKI
TOKIO, JAPANIO

한국어 역자 장인자(張仁子) 씨께

11월 14일에 발송된 일본에스페란토학회 기타가와 히사시

(北川久) 씨 앞으로 보낸 편지를 읽은 「에스페란토의 아버지, 자멘호프」의 저자 이토 사부로(伊東三郎)의 유족, 부인 미야자키 키미코(宮崎公子, 76세)입니다. 뛰어난 일본어로 내용도 정말 잘 적혀 있어서 나의 마음을 편안하게 해 주었습니다. 기쁘게 생각하고 있습니다.

한국 독자에게 저자의 자멘호프 정신의 올바른 식견을 알리고 넓혀 갈 수 있다면 그보다 기쁜 일은 없습니다.

이와나미 출판사(岩波書店)는 일본에서도 유능한 출판사로 사장도 정말 훌륭한 분입니다. 당신들의 이 출판에 대해 흔쾌히 승낙해 주시리라 생각합니다. 이와나미 출판사로서도 세계에 부끄럽지 않은 것이라면 마음을 다해 출판하는 곳이므로 한국에서 채택한 것을 오히려 기쁘게 해 주실 것으로 생각합니다. 어쨌든 이 일이 성공하기를 바랍니다.

나는 어릴 때부터 동경에 살았고 역사로 남은 <관동대지진>이 일어난 1923년에도 동경에 있었습니다. 13살 때입니다. 그때 일어난 큰 사건으로 조선인 학살과 일본 사회주의자 학살이 있었습니다.

나의 마음은 그 사건으로 눈뜬 것입니다. 이 같은 일이 이 세상에 있어서 좋은 것인지 그것이 엄청난 일인 것을 알게 되었습니다. 그 뒤 여러 책을 읽으면서 다른 사람들의 이야기를 듣는다든지 하며 지냈습니다.

그 뒤, 1925년경 에스페란토를 공부하기 시작했습니다. 바르게 사회와 세계를 알고 싶었기 때문입니다.

좋은 사회를 이루기 위해서는 에스페란토를 가교로 하여 세계 친구들과 편지왕래를 하고 좋은 것을 많이 배우고 싶었던 것입니다. 그것이 나의 소녀 시절의 꿈이었습니다.

여느 나라처럼 여러 곤란에 빠진 시대가 있음은 일본도 마찬가지였습니다. 여러분은 곧잘 역사를 통해 일본의 과거, 현재를 올바르게 보고 계신다고 생각하십니까?

어떤가요?

이제부터라도 꿈이 아닌 멋진 사회의 건설에 열중해 주십시오. 매스컴의 잘못된 보도에 방황하는 일 없이 진실을 탐구해 갑시다.

일본어 공부는 어렵습니까? 당신을 위해서 나는 일본어를, 정말 참다운 일본어를 더 써야지……라고 생각합니다만 오늘은 이 정도로 하고 펜을 놓습니다.

이것을 기회로 혹시 원하신다면 또 나를 통해 도움이 될 일이 있으면 편지를 주십시오.

요즘 한국과 일본 사이에 편지왕래는 자유롭게 되었습니다. 그러나 1930년부터 1945년 8월까지는 편지왕래도 자유롭지 못했습니다. 이해하실 수 있겠습니까?

작년에 편지를 받았지만 이렇게 답장이 늦어진 것을 용서해 주십시오. 여러 가지 제 나름의 바쁜 일이 있어 늦어진 것을 진심으로 사과합니다. 당신의 오빠에게도 안부 전해주십시오. 편지하고 싶으니 허락하신다면 주소를 가르쳐 주십시오.

세계 평화를 위해 우리 모두 함께 노력합시다.

미야자키 키미코(宮崎公子)

1. 라자로 루도비코 자멘호프

(Lazaro Ludoviko Zamenhof)

(1) 불행한 나라 리투아니아, 폴란드

라자로의 탄생

북유럽의 소도시 **비알리스토크(Białystok)** 시내 좁은 길 "**지엘로나(Zielona)**" 거리와 "**요고래**" 옆길 사이의 모퉁이 집에서 간난 아기의 울음소리가 들렸습니다. 세계 어디에서나 들을 수 있는 아기 울음소리였습니다. 개인 글방을 하는 젊은 **마르크스 자멘호프** 선생의 집에 남자아이가 태어났습니다. 1859년 12월 15일의 일입니다.

바로 '라자로' 라고 이름을 짓고, 인근 마을인 리투아니아 농가의 아주머니를 고용해 이 아기를 돌보게 했습니다. 인도유럽어족에 속하는 리투아니아말의 자장가를 들으면서, 라자로는 새근새근 잠자고, 꿈꾸며, 때로는 방긋방긋 웃기도 하였습니다.

당시 비알리스토크는 러시아 제국 영토인 **폴란드**[1]에 속하

---

1) *역주: 폴란드는 폴란드 공작이 천주교로 개종한 966년에 시작되었다고 볼 수 있다. 폴란드의 첫 왕조인 피아스트 왕조는 약 400년간 집권하다가 1370년에 끝나면서 리투아니아와 정치적으로 연합하면서 야기에우워 왕조가 생긴다. 그 뒤 1569년 루블린 조약으로 폴란드-리투아니아 연방이 창설되면서 폴란드는 당대 유럽에서 가장 큰 국가로 떠오르며 번영했다. 그러나 폴란드는 점차 쇠퇴하면서 결국 1795년 프로이센, 러시아, 오스트리아에 의해 완전히 분할되었다. 그러면서 비알리스토크는 러시아의 지배를 받게 되

던 **리투아니아**의 소도시였습니다. 러시아말로는 '**벨로스토크**' (Белосто́к), 그 고장에서는 **비아위스토크**(Białystok [bʲa'wɨstɔk]) 라고 불렸습니다. '흰 물결'이라는 의미로 맑고 큰 강인 **비스와강**[2)]이 흐르고 있습니다. 근처에는 **베르스그**와 **벨에지**의 유명한 '흰 탑의 숲'이 있고, 이 일대는 벨라루스 지방의 주요 부분에 속해 있었습니다. 흰 피부, 금발 머리, 깔끔한 흰옷의 순박한 농촌 사람들의 생활이 눈에 띄어 그렇게 불리게 되었다고 합니다. '희다'라는 낱말은 맑다, 새롭다, 상쾌하다, 원시, 자유 등의 낱말을 생각나게 하는 친숙한 것입니다. 사실 이 남부에는 지금도 인류가 정복할 수 없는 원시의 대산림과 늪지대가 넓게 뻗어 있고, 그곳에는 옛 자연 그대로의 모습으로 들소, 큰 사슴, 비버, 그 외 350여 종의 신기한 천연기념물이 될 수 있는 동물이 살고 있습니다. 곰과 이리, 영양, 사슴 등도 자유롭게 돌아다니고, **카이사르**[3)]의 고대사에 나오는 모히칸(이리)도 있고 나이를 알 수 없는 오래된 큰 나무가 잎이 무성하게 우뚝 솟아 있습니다.

사방의 신문명의 물결도 한꺼번에 이곳을 정복하지는 못했기에, 이 지방 주민 중에는 지금도 가톨릭교 문화에도 씻기지 않은 옛 풍습이 남아, 떡갈나무와 같은 큰 나무를 산신이 사는 곳으로 여기며, 생명 존중의 관습이 있습니다.

평원에서의 목축과 농업 문명이 번영하기 전에는 산림지대에서 수렵하며 살아가는 편이 더 나아, 인도유럽어의 선조 모

었다. (위키피디아에서)

2) *역주: 폴란드에서 가장 긴 강으로 길이는 1,047km.

3) *역주: 고대 로마의 정치가 Caesar, Gaius Julius.

습이 지금도 이 대산림에서 멀지 않은 리투아니아 지방에 남아있다고 합니다. 그것은 아주 옛날의 인도말과 비슷하다고 합니다.

문명의 물결

이곳은 유럽 4곳의 끝. **스칸디나비아**에서 **코카서스**, **우랄**에서 **리투아니아**를 연결하는 선의 교차점에 해당하고, 유럽의 변방으로 문명의 중심에서는 떨어진 곳입니다.

이러한 조용하고 원시적 영원의 모습을 가진 땅에 에워싸여 있으면서도 사방에서 문명의 물결이 밀려오고 또 밀려왔습니다. 그런 여러 물결의 문명이 이곳을 그냥 지나칠 수 없어 충돌하고 뒤섞여 특별한 소용돌이를 일으켰습니다. 중세 때는 이 지방을 겨냥해 서남쪽에서 서로마제국의 게르만 기사단[4]이 북방으로 진출하여 발트해 연안부터 점령해 가며 개척의 손을 뻗어 왔습니다. 동남쪽에서는 서로마제국의 지배 계급인 폴란드 귀족이 이 지방을 바르샤바 대공국(大公國)[5], 폴란드

---

4) *역주: 독일 기사단은 1237년, 리보니아의 그리스도 기사 수도회를 흡수하고 프로이센에서 에스토니아에 이르는 지역을 지배했다. 1291년 예루살렘 왕국이 아크레에서 멸망하자 독일 기사단은 이교를 신봉하는 리투아니아에 대한 원정에 나섰다. 그러나 기사단은 리투아니아를 완전히 복속하지는 못하였다. 기사단장 빈리히 폰 크니프로드 시절(1351- 1382) 독일 기사단은 그 최대 판도를 맞는데 그 영토가 발트해 연안의 쿠를란트, 리보니아, 에스토니아와 폴란드 단치히 지역, 동포메른 및 독일의 중남부지역, 리투아니아의 사모기티아 등에 이르렀다.

5) *역주: 바르샤바 공국은 1807년부터 1815년까지 지금의 폴란드 지역에 존속했던 국가이다. 프로이센, 오스트리아, 러시아의 동부 유럽의 보수적인 세 왕국을 견제하기 위하여 세 차례에 걸쳐 분할되었던 폴란드를 재건

왕국의 지배하에 두려고 했습니다. 동쪽에서는 몽골 제국의 칭기즈칸 서쪽 선봉대가 이 근방까지 와, 유럽의 기사단과 싸우고 되돌아갔습니다. 한편 동로마 제국의 전통과 칭기즈칸의 몽골 제국 영향을 받던 러시아계의 모스크바 대공국[6], 곧이어 러시아 제국도 북동에서 쳐들어 왔지만 단번에 완전히 자신의 목적을 달성할 수는 없었습니다. 우월의식이 강한 폴란드 귀족의 호화스러운 문명은 동남쪽에서의 이슬람교 군대의 진출을 막으면서 이슬람교 문화의 영향도 강하게 받았습니다.

비알리스토크는 14세기에 리투아니아왕국에 속했고, 리투아니아왕국이 로마 가톨릭으로 개종(1385년)하면서 비알리스토크에도 가톨릭 문화가 들어오기 시작했다. 16세기에는 폴란드 왕국이 차지하고, 18세기에는 잠시 프로이센 왕국이 점령하고, 1806-7년경 나폴레옹 보나파르트가 이끄는 프랑스군대가 진출하여 일시적으로 리투아니아 임시 정부가 이 지역에 세워졌지만, 얼마 안 되어 러시아군에게 패한 뒤에는 러시아 제국령이 되었습니다.

이처럼 큰 문명의 흐름이 끊임없이 이곳에서 서로 다투게 되었던 것입니다. 그것은 단지 이 지방의 싸움이 아니라 계통이 다른 문명의 큰 세력들의 전초전 지대인 것입니다.

서로마, 동로마, 칭기즈칸, 나폴레옹 제국이라고 말하는 제

하고자 했던 나폴레옹의 계획의 결과물로서 탄생하였다. (위키피디아에서)

6) *역주: 모스크바 대공국 또는 모스크바 공국(1283-1547)은 류리크 왕조 출신의 제후들이 다스리던 여러 루스 공국 중 하나였던 블라디미르 대공국의 대공자인 다닐 알렉산드로비치가 모스크바 지역에 건설한 루스 공국이다. 키예프 루스 이후 분열된 루스 공국들을 통합해, 오늘날 현대 러시아의 직접적인 전신이 되었다. (위키피디아에서)

국은 제각각 한 나라가 아니라 온 천하이고 온 세계였습니다. 이곳이 세계와 세계가 싸움을 벌이는 각축장이 되었습니다.

유럽 각지의 유대인들은 이 불안정한 세계의 모든 문명의 종말 또는 틈새인 이곳으로 흘러들어 왔습니다. 이 근처는 모든 왕국의 변경이자 동시에 새로 개발되는 지대이므로 다른 곳에 비교해 자유가 많았는데, 그 지역 영주가 새 영토를 개척하고 성곽 도시를 건설해 이를 발전시키려고 상인이나 수공업자를 끌어들였기 때문입니다. 이런 까닭에 이 지방 일대, 특히 비알리스토크는 여러 인종이 뒤섞여 사람들이 사용하는 언어가 다르고 감정과 세계관도 서로 부딪혀, 매일 싸움이 끊이지 않는 불행한 지방이 되었습니다.

비알리스토크 주민의 70%가 유대인이었으므로 상점이나 뒷골목에는 근대 유대어가 사용되고, 주민의 20%인 폴란드인들은 폴란드말을 사용하고, 그들은 소수의 귀족과 다수 노동자였습니다. 나머지 10%는 독일인, 러시아인과 그 밖의 여러 민족이었습니다. 독일인은 상인이나 기술자들로 독일인 거리에 살며 독일말로 이야기합니다. 러시아인은 러시아 제국 정부의 공무원이나 군인이 대부분입니다. 러시아인 비율은 낮아도 공용표준어라는 러시아말을 그곳 주민들에게 끝까지 강요하였습니다. 가까운 시골 출신의 주민과 북쪽 출신의 사람들은 리투아니아말을, 남쪽 출신은 폴란드 동부의 벨라루스말을 사용하고, 모직물의 상거래를 위해 와있는 타타르인들은 서로 터키계 언어를 쓰고, 이곳을 자주 드나드는 집시는 또 다른 그들의 언어를 갖고 있었습니다. 그 외의 폴란드인의 상류 사교계와 학교에서는 프랑스말이 사용되는 일도 많았습니다. 또 이들 인종은 각기 다른 종교와 교회를 갖고, 그곳에서도 제각각 다른 언어가 사용되었습니다. 유대인은 유대교 회당에서 히브리말을, 폴란드인은 가톨릭 천주교 교회에서 기도와 노래를 할 때는 라틴말로 하고, 러시아인은 그리스정교 교회에서 교회슬라브어의 성전을 읽고, 독일인은 기독교 교회에서 독일말을 사용하고, 타타르인은 이슬람교를 신봉하기에 아라비아말의 경전을 갖고 있습니다. 이처럼 작은 도시의 주요 언어가 4종, 자세히 보면 12~13종의 언어가 쓰이고 있습니다. 그것은 언어가 복잡해 서로 통하지 않는 불편함 뿐만 아니라 그 저변에 복잡하게 여러 계통, 여러 발달단계의 생활과 세계관이 서로 충돌하여 복잡한 면을 보게 되었습니다. 따라서 그러한 고민의 불행은 심각했습니다.

불행이 천재를 키운다

대기의 중간에 따뜻한 기류와 찬 기류가 정확히 마주치면 안개가 생기는 것처럼, 인류 문명의 흐름에도 안개가 생기기도 하고 소용돌이가 일어나기도 합니다. 원시와 문명, 동양과 서양, 정열과 이성, 보수와 진보가 마주치는 곳에 문명의 안개, 소용돌이가 생깁니다.

많은 사람은 이 속에서 예측하지 못한 실패를 하고, 다치고, 성격이 삐뚤어지고 고집스럽게 또는 경박하고 비굴한 인간으로 변하는 경향이 많습니다. 그러나 불행과 행복은 금화한 닢의 양면과 같습니다. 안개는 바다 수면에서 큰 물고기 어장이 되고, 아름다운 직물은 안개가 짙은 지방의 특산물이 되기도 합니다. 이 불행한 문명 혼란의 어둠 지대에서 온 인류를 비추는 정신의 횃불을 높이 쳐든 천재들이 차례로 태어났습니다. 지동설의 아버지 코페르니쿠스, 근대철학의 아버지 칸트, 음악의 악성 쇼팽, 라듐을 발견한 퀴리 부인, 여성 혁명가 로자 룩셈부르크[7]도 이 가까운 일대의 불행한 지방에서 나왔습니다. 문명사뿐만 아니라 위대한 시인 문학가 미츠키에비치, 시엔키에비치 이름도 빠뜨릴 수 없을 것입니다. 이곳은 "나라는 망해도 예술은 망하지 않는 나라"라고 칭송되고 있습니다. 유별난 이 천재들에게 있어 공통된 하나의 것, 그것은 문명을 뿌리에서부터 움직이는 깊이와 불굴의 정열과 성실과 인내로 생애를 일관한 점입니다. 라자로 자멘호프도 이 지대의 한구석에서 태어났습니다.

그는 노래하고 있습니다.

캄캄한 어둠에도 목표는 빛나고
우리는 그 목표를 향해
씩씩하게 전진한다.
밤하늘의 별처럼
목표가 갈 길을 알린다.
밤의 도깨비도 무섭지 않다.
비운도 비웃음에도 굴하지 않고
목표는 선명하니
우리가 선택한 길이기에….
(시 <길>에서)

Tra densa mallumo briletas la celo'
Al kiu kuraĝe ni iras.
Simile al stelo en nokta ĉielo,
Al ni la direkton ĝi diras.
Kaj nin ne timigas la noktaj fantomoj
Nek batoj de l' sorto, nek mokoj de l' homoj
Ĉar klara kaj rekta kaj tre difinita
Ĝi estas, la voj' elektita.
……(La Vojo)

7)*역주: Rosa Luxemburg(1871-1919).

민중의 저력

라자로가 태어난 때는 러시아 농노해방[8]과 일본 메이지(明治)유신[9]과 거의 같은 시기입니다. 그것은 세계의 큰 변동이었습니다. 영국과 프랑스를 중심으로 일어난 근대 산업혁명과 민주 정치의 혁명이라는 큰 물결이 세계에 널리 전파되어, 차례로 세계를 변화시켜감에 따라 봉건 질서를 고수하려던 세계의 보수세력은 이를 필사적으로 막으려던 때였습니다. 러시아와 오스트리아와 프로이센 황제들은 폴란드를 침략해 분할 차지하고, 보수 반동세력의 기반을 굳히려고 하고 있었습니다.

이에 반항한 폴란드 민족은 자신의 나라 독립과 자유를 위한 투쟁으로 유럽의 보수세력을 넘어뜨리는 진보 세계의 편에서서 싸웠습니다.

그러나 그 투쟁이 싸울 때마다 패하고, 패하고, 또 패하여도 계속되니 비장한 희생을 치르게 되었던 것입니다. 긍지 높은 폴란드 민족투쟁도 날로 어려워져 귀족이 낙오하고, 유산자마저도 붕괴하자 무산자인 민중이 일어났습니다. 폴란드 애국 시인 미츠키에비치는 이렇게 노래했습니다.

그리스도가 죽음에서 부활한 것처럼
폴란드도 다시 살아나리.

---

8) *역주: 농노 해방령은 1861년 3월 3일에 알렉산드르 2세가 공표한 농노해방에 관한 법령.

9) *역주: 일본이 정치·경제·군사 전 분야에 걸쳐 근대화를 성공시킨 과정과 일련의 대사건으로 메이지(明治) 원년인 1868년으로 간주함. (위키피디아)

이는 온 민족을 구하고,
영원한 정의를 실현하기 위함이요
단결을 단단히 굳히기 위함이다.

....라고.

그러한 민족의 어려움 속에서도 민중의 저력과 세계단결이라는 사명의 날카로운 영혼이 느껴진 것입니다. 폴란드 독립을 위한 투쟁의 노래는 서유럽의 진보 국민의 동정을 부르고, 메이지 시대의 일본 청년까지도 감동하게 했습니다. 그래도 리투아니아, 폴란드 독립을 위한 반란은 여전히 실패하고 러시아 황제의 정치 군사적 압박은 강화되었습니다. 한편 근대 산업이 점점 발달해, 넓은 러시아 시장을 위한 직물 공장과 가죽제품 공장은 늘어만 갔습니다.

비알리스토크는 다섯 방향으로 관통하는 철도의 교통요충지가 되고, 모직물, 가죽제품, 기계류, 담배, 잡화 등이 중소도시로 모이는 중첩지대가 되었습니다. 인구도 6~7만에서 10만 전후까지 늘었습니다.

정치적으로 탄압을 받던 폴란드인들은 교육을 중시하는 분위기가 강해져 수많은 학교를 세웠습니다. 러시아 제국도 서남유럽에서의 근대 문명의 물결과 국내 불평, 반항의 물결에 눌려 겉으로는 진보적 정책을 취해야 했습니다.

라자로의 아버지 마르크스 자멘호프는 유대인이었습니다만, 새 시대의 요구에 눈뜬 성실한 합리주의 교육자였습니다. 중세 때 유대인은 유럽 어디에나 거주와 직업의 자유가 제한되어 특정 유대인 구역에 살면서 중소상업과 대금(貸金)업 등을 하고 있었습니다. 프랑스 혁명으로 신분 차별이 없어지고,

유대인도 근대 산업과 문명에 참여할 길이 열렸습니다. 하지만 독일이나 러시아 등지에서는 아직 중세의 보수세력이 강해 유대인에 대한 차별이 계속되어 사회생활에 제한이 있고, 겨우 밥벌이나 하며 지내는 소상인 부류에 유대인을 밀어 넣었던 것입니다.

그러나 일단 프랑스 혁명의 여파로 자유 평등의 이상에 나섰던 유대인은 여타 민족과 평등한 사회인, 문화인의 지위를 다시 빼앗기지 않으려고 노력하고 있었습니다.

마르크스 자멘호프는 이 흐름을 이해한 문화적 유대인으로 주위의 일반 유대인이 참혹한 피지배자의 입장에 억눌려 있을 때, 지배민족과 대등하게 사회에 나아가려고 했던 것입니다.

성실한 그는 새 교육자로서 20세 때 **티코친**이라는 시골 마을에서 신흥의 혈기왕성한 산업도시 비알리스토크로 이주해 개인 공부방을 열어, 외국어와 상업, 세계지리를 가르쳤습니다. 근대 산업의 발달과 함께 근대 교육이 강하게 필요한 러시아 제국 내에서도 프랑스 혁명 이후 새 교육 제도인 실과중학이 계속 설립되던 때였으므로, 마르크스 자멘호프는 유대인이지만 파격적으로 발탁되어 공립 비알리스토크 실과중학 교사로 임명되었습니다. 이 학교는 이 지방이 프로이센의 영역이던 때 **프리드리히 빌헬름** 대왕이 설립한 유서 깊은 훌륭한 고전 중학이었으나, 그 뒤 실과중학으로 바뀌었습니다. 고전 중학에서는 그리스어, 라틴어 등을 중요과목으로 오랜 문화 전통을 바탕으로 교양에 중심을 둔 것에 반하여, 실과중학은 현대 외국어와 세계지리를 중요과목으로 하며 현실 세상에 눈을 뜨게 하는 것을 장점으로 한 교육기관입니다. 마르크스 자멘호프는 이 시대의 요구에 부응한 새 교육기관의 주요 학과목 교수로 채용된 신진 교육가로, 그의 재능과 성실과 근면은 사람들에게 크게 기대되었습니다. 그는 20살에 2살 아래인 **로잘린 소페르**와 결혼하여 신념과 정열과 희망에 불타 비알리스토크에 온 것입니다. 그다음 해에 라자로는 태어났습니다.

(2) 불행한 민족의 행복한 가정

언어와 가족

라자로에게는 여동생과 남동생이 계속 태어나서 가족도 늘어났습니다. 라자로는 어릴 때 “너도 학교에 가고 싶니?”라는 아버지의 물음에 “제가 가고 싶은 곳, 어디라고 가도 되나요?”라고 눈을 반짝이며 되물었으므로 아버지는 영리한 아이라고 생각하며 기뻐했습니다.

그날그날을 살아가는 유대인 사회에서는 학교에 가는 자유로운 문화인이 되는 것은 굉장히 멋있는 일이었습니다. 아버지는 이 어린아이가 자유로이 지혜를 키워 나가는 것에 매우 기뻐하며 소중하게 여겼습니다. 루도비코는 4살 때 글을 읽고 쓸 줄 알았고, 러시아어로 노래 만드는 것도 점차 좋아하게 되어 10살 때에는 5막의 연극 대본을 썼습니다.

그는 공부를 잘하는 아이였으므로 정식 입학연령에 이르지 못했지만 9세 때 중학교에 들어갔습니다. 그는 어렸을 때부터 러시아어, 독일어, 프랑스어를 아버지에게 열심히 기초를 배우게 되었습니다. “아버지가 쓰시던 말은 러시아말이지만, 제

개인의 말은 폴란드말입니다."라고 뒤에 말하고 있습니다. 러시아어와 폴란드어는 같은 계통입니다만, 일본말과 오키나와 말 정도의 차이가 있습니다. 이 지방에서 사는 사람은 폴란드 말은 비교적 자연스럽게 익힐 기회가 있지만, 러시아말은 표준 문화어로 노력해 기억해서 익혀야만 했습니다. 아버지 마르크스는 러시아 공립학교 교수로서, 집안에서도 당시 표준어로 이야기했던 것 같습니다. 아버지는 끈기 있고 근면하고 엄격한 사람이었습니다.

라자로도 교육은 러시아어로 받고, 러시아말과 러시아 문화를 좋아해 열심히 공부하였습니다. 어른이 되면 러시아인으로서, 대시인으로 살아가야지 하는 등의 공상도 하였던 것입니다.

"…나의 아버지도, 할아버지도 어학교사였습니다. 인류의 언어라는 것은 나의 세계 속에서 항상 제일 중요한 것이었습니다…"10)

라고 나중에 편지에 쓰고 있지만, 이 간단한 말 속에 조상에 대한 인간적인 따뜻한 애정, 세상의 고생을 헤쳐 나온 대대로의 생활 기술에 대한 꿋꿋한 신뢰, 인간 상호의 이해와 결합

---

10) *주: 자멘호프가 말하는 "언어(말)"라는 것은 흔히 입으로 하기 쉬운 말이 아니라, 인간 사회생활에 깊게 뿌리내리고 스며들어 있는 깊은 바탕 언어의 본질로, 인간 활동을 결합하는 노력을 가리키고 있습니다. 인간이 단순한 동물이 아니라 사회생활을 영위하는 인간으로 발달하는, 큰 역사적 사회적 힘을 말하고 있는 것입니다. 이것은 그에게만 아니라 우리 누구에게도 마찬가지로 제일 중요합니다. 그런데 우리는 이 점을 잊고 살고 있습니다. 그는 이 점을 눈뜨게 해주었습니다. 이 점을 알아차리지 못하면, 그의 언어(말)는 하나도 이해될 수 없습니다.

에 있어서 깊은 열망이 들어 있습니다.

세계지리와 외국어를 가르치고 있던 아버지 마르크스 자멘호프의 머릿속에는 세계와 언어란 아직 따로 흩어진 채 지식으로 모여 있었지만, 유년 시절에 교육을 받은 라자로 자멘호프의 머릿속에는 세계와 언어가 융합해 나중에 세계어 사상을 갖게 해 주었습니다.

순진하고 상냥한 청년으로 어떤 일에서나 감수성이 예민한 성격의 라자로는 오랜 고향과 가정의 영향을 받았습니다. 그는 일생 끊임없이 가족이라는 말을 외치고 있었습니다.

"전 인류는 하나의 가족으로 단결해야 한다."

Tuthomaro en familion kununuigi sin devas……

"피에 굶주린 칼에 인류 가족을 불러서는 안 된다."

Ne al glavo sangon soifanta ĝi la homan tiras familion.

"인류는 마음을 합쳐 하나의 커다란 동심원 가족을 만들자."

La popoloj faros en konsento unu grandan rondon familian.

등등.

아버지와 어머니

그의 가족을 말하자면, 오랜 명문가도 아니었습니다. 시대도 어버이의 위세나 대대로 물려받은 영토나 집안 재산으로 살아가던 때는 아니었습니다. 라자로의 증조부 **웨프 자멘호프**

는 그린란드에, 조부 **파비안**은 티코친에 살았습니다. 그리고 아버지 마르크스 때에 와서 비알리스토크로 이사를 왔습니다. 성씨인 자멘호프는 독일어로 "종자, 밭"의 의미입니다. 리투아니아에 들어오고 나서도 한곳에 오래 안주하지는 않았습니다. 생활을 위해 유랑하고 지식과 기술을 가지고 세상의 거센 파도와 싸워 갔습니다. 라자로가 어느 정도 고향을 사랑하였는가 하면, 영국 런던의 길드-홀 연설에서도

"내가 사랑하는 리투아니아의 조국이여, 너는 지금도 내 눈앞에 있구나. 내 비록 어릴 때 그곳을 떠났어도 결코 잊을 수 없는 불행한 나의 조국이여. 나의 꿈에 자주 떠오르는 너, 나의 마음속에서는 지상의 다른 어떤 것으로도 바꿀 수 없는 너, 누가 가장 굳세게, 가장 진심으로, 가장 진실로 너를 사랑하고 있는지, 증인이 되어…"

라고 말할 정도로 그의 고향 사랑은 그곳이 대대로 안주한 땅이나 자기 영토라서도 아니고, 그 땅에서 그 사람들로부터 사랑을 받았기 때문도 아닙니다. 반대로 그 땅의 불행을 느끼고, 방랑하며, 고향을 위해 고민하고 괴로워했기 때문입니다. **불행하였기에 행복한 고향을 가지고 싶고, 자신의 고향을 행복한 곳으로 만들고 싶었던 것입니다.** 굶주리고 목이 마른 뒤에야 정말 물맛과 음식 맛을 알 수 있듯이, 우리도 이제야말로 자멘호프가 한 말의 의미를 알 것 같습니다. 그는 또 가족을 사랑했습니다. 문벌, 가문, 영광을 위해서가 아니라, 서로 위로하고 감싸주는 인간 결합을 위해서였습니다. 단지 육친의 의미가 아닙니다. **라자로는 인간 본연의 정을 기반으로 하여 이상과 일을 서로 묶는 공동체를 항상 생각하고, 이것을 가족**

이라는 말로 나타낸 것입니다. 결국, 이상 사회를 말하고 있습니다. 자멘호프의 육친의 가족은 각각 다른 성격을 가진 사람들로, 서로 부족한 것을 보충해 도와주며, 하나의 가족을 이루고 살았다고 사람들은 평가하고 있습니다.

아버지 마르크스는 누구에게서 들어봐도 유능하지만 차갑고 엄하고 성실하며 완고한 사람이라고 말합니다. 그 제자도 "마르크스 선생님은 박식하지만, 인정미 없는, 꽤 까다로운 사람이었다."라고 말하고 있습니다. 영리하며 고지식하고, 일에 대해서는 끈질긴 남자. 공상 따위는 믿지 않고, 종교에 대해서도 무신론자로서, 신앙이라고 말하면 단지 하나, 날마다 주어진 의무를 충실히 마치는 것, 그것뿐이었습니다. 제정 러시아 시대 학교 교육의 일을 원칙으로, 실제로 실행하여 나간 교육자였습니다. 그래서 학생들에게도 자기 아이들에게도 처벌을 가한 적도 많았습니다. 공무상 필요한 것을 강직하게 엄격하게 실천해 나가는 생활 태도는 제정시대에서 업무 평가에서 누가 되지 않게 하려면 꼭 필요한 것이었습니다. 하물며, 라자로를 맏이로 9명의 자식(1명은 빨리 죽었지만)을 둔 아버지로서, 또 생활을 지켜가기 위해, 또 파격적 성공으로 공직을 가진 유대인으로서 마르크스는 덧없는 세상의 번거로운 풍파에 견디고 극복하기 위해서 매우 까다로웠습니다. 그러나 그의 근본 마음씨는 착하고 성실하기만 하였습니다.

마르크스는 바르샤바에 전근하고 나서 그곳 실과중학과 수의강습소의 교수가 되었습니다. 자식들이 많아지고, 커가니 비용도 늘어나게 되고 생활은 넉넉하지가 않았습니다. 교육자로서 할 수 있는 부업으로 학생들을 위한 기숙사를 열고, 1

4~20명 정도의 학생들을 하숙생으로 받았습니다. 당시 학생 기숙사를 열려면 정부 당국의 허가가 필요하고, 자칫하면 의심받기 쉬운 유대인으로서는 좀처럼 허가 받기가 쉽지 않았습니다. 애써 허가받은 기숙사에 잘못이 생겨서는 안 된다며 마르크스의 신경은 항상 압박을 느끼며 완고한 태도를 유지해야 했습니다. 생활을 위해 또 다른 수입원을 생각해야 했고, 외국어 능력을 인정받아 외국신문이나 잡지의 검열을 부탁받았던 적도 있습니다.

그러나 교육이 자신의 본업이었으므로 여러 실용교과서 등을 러시아어로 집필했습니다. 주요한 저서로는 『간략한 성서 이야기』, 『지리학 교과서』, 『각국어로 된 속담집』 (러시아어, 폴란드어, 프랑스어, 독일어, 히브리어, 라틴어) 등입니다. 그는 55세 때 퇴직해 연금을 받아 저술로 생활했습니다. 그가 퇴직하던 해에 부인이 별세하자 상냥한 보살핌으로 가족을 돌보았습니다. 아이들이 성인이 되어 결혼하여 뿔뿔이 흩어져도 매주 토요일엔 제각기 자식들이 그의 아내와 자식을 데리고 오니, 그때는 아버지를 중심으로 모여 이제 단란한 가족 모임이 습관처럼 되어버렸습니다. 아버지는 언제나 "내 비록 부자는 못 되었지만, 자식 손자들을 보면 그게 내겐 부자요, 자랑이다."라며 기뻐했습니다. 그런 아버지 마르크스는 1907년, 70세 나이로 별세하였습니다.

여러 상장과 훈장이 추서되고 5등 문관(국가참여관)의 지위를 받아 성대한 장례를 치렀습니다. 그의 제자들과 졸업생들이 장례식에 많이 참례하고, 공립 바르샤바 실과 중학교 교장 **드르골고후** 백작이 장례식의 흙을 맨 먼저 덮어 주었습니다.

그것은 그의 경력에 어울리는 명예입니다. 각별한 재산이나 신분도 없이 유대인으로서 단지 재능과 노력과 양심으로 열심히 단계적으로 출세의 길을 살아간 마르크스의 일생은 이렇게 끝났습니다. 그리고 아들 5명은 대학을 졸업하고 그중 4명은 의사, 1명은 약사가 되었습니다.

라자로의 어머니 로잘리아는 상인의 딸이었습니다. 마음씨 곱고 또 믿음 강한 여자로 집안의 일과, 아이들 키우는 것에 모든 것을 바쳤습니다.

9명의 아이를 낳고 몸도 허약하였습니다만 세심한 신경을 써서 남편과 아이들, 하인이나 기숙생들의 생활과 기분을 살피는 일 등을 따뜻한 손길로 모든 일을 보살폈습니다. 어린 아들이 아버지께 심하게 꾸중을 들었을 때면 언제나 엄마가 상냥하게 달래며 위로하여 주는 편이었습니다. 아버지의 회초리보다도 엄마의 키스가 훨씬 절실하게 느껴졌다고 라자로의 동생도 추억하며 말합니다. 자식이나 학생들이나, 또 로잘리아를 알고 있는 사람이면 누구나 모두 그 어머니를 고상한 인상을 받았다며, 또 천사 같았다고 이야기가 전해지고 있습니다. 겸손하지만 나태하지 않고 조심성이 많으며 남편의 의지와 정의를 깊게 신뢰하고 있었습니다. 어린이와 어머니 사이는 사랑 깊은 애정으로 연결되어 엄마는 아이들을 위해 매일매일 세심하게 신경 써 주고, 아이들 또한 피곤하고 병약한 엄마를 언제나 보살펴 도와 드렸습니다.

특히 라자로가 어릴 때부터 허약하였으므로 엄마의 배려도 각별하였습니다. 장남인 라자로도 엄마의 마음을 깊이 이해하고 따뜻한 애정을 갖고 어떤 일이나 말하기 전에 마음을 헤아려 잘했습니다. 이 어머니는 53세를 일기로 돌아가셨습니다.

헬레니즘의 이지(理智)와 헤브라이즘의 정열(情熱)[11]

정반대의 성품이 서로 보완해 놀라울 정도로 적절히 균형 있게 배합되었다고, 라자로의 동생들도 말하는 이 부모님의 장점을 라자로는 정직하게 충분하게 이어받고 자랐습니다. 라자로의 세계어 사상 저변에 단지 이지적 요소뿐만 아니라 인간에 대한 깊은 애정과 신뢰의 요소가 들어 있음은 이런 이유 때문입니다. 유럽 문명사가 말해 주는, 문명의 커다란 두 흐름인 “헬레니즘의 이지(理智)”와 “헤브라이즘의 정열(情熱)”이 불가사의하면서 완전히 조화롭게 맺어져 있다고 말할 수 있습니다.

라자로는 9세에 중학교에 들어갔으나 2개월 만에 큰 병을 앓아 학업을 중도 포기하고 10세에 재입학을 해야 했습니다.

그는 학업 성취가 월등해 비알리스토크에서도 또 바르샤바에 전학 와서도 9년간 언제나 반에서 1등을 놓치지 않았습니다. 1873년 아버지가 바르샤바로 전근하자, 가족은 폴란드 제일의 도시인 바르샤바로 이사해 ‘**노웰-비엘**’가에 살게 되고

11) *역주: 서양 윤리 사상의 문화적 배경은 아테네와 예루살렘에 의해 상징적으로 표현될 수 있다. 그리스 아테네와 이를 계승한 알렉산드로스 대제국을 통해 발전한 문화를 헬레니즘(Hellenism)이라고 한다. 한편, 예루살렘을 통해 상징적으로 표현되는 문화는 그리스도교 사상과 관련된 문화로 헤브라이즘(Hebrism)이라 한다. 즉, 헬레니즘을 인간 중심적인 문화라고 한다면 헤브라이즘은 신 중심의 문화라고 할 수 있다. (다음 백과에서)

라자로는 바르샤바의 공립 제2 고전남자중학 4학년에 전학하였습니다. 마침 이때, 라듐의 발견자 **퀴리** 부인의 아버지도 이 학교에서 물리학 등을 가르치고 있었습니다. 이 학교가 본래 대학 예과와 학습원을 합쳐 세워진 유서 깊은 유명 학교로, 그리스어, 라틴어 등이 중요 학과목이었습니다. 라자로는 집에서 2개월 정도 그 공부를 별도로 하기도 했습니다.

라자로는 옛 문명의 말에 깊은 흥미를 느끼고, 고전 중학에 입학하고 나서도 열심히 공부하여 이 학과목 성적이 매우 좋아 상장과 메달을 받았습니다. 바르샤바의 고전 중학 시대 성적표와 장학생이 된 일, 상장과 메달을 받았던 기록이 지금도 그 학교에 남아있지만, 어느 학과목이나 좋은 성적이었고 특히 그리스어에 뛰어났고, 행실이 발라 누차 칭찬을 받았다고 합니다. 학업을 잘 하였으나 겸손하고 친구들에게 친절하여 공부를 도와주거나 잘 보살펴 주었으므로 누구로부터도 따돌림을 당하거나 시기를 받는 일 따위는 없었습니다. “라자로 마르코와치는 크면 반드시 훌륭한 사람이 될 거야”라고 친구들은 서로 이야기했습니다. 그리고 “남작 각하”라고 하는 친밀감 가는 별명이 붙여졌습니다. 동생 펠릭소도 같은 중학에 들어갔지만 쾌활한 장난꾸러기였습니다. 한번은 동생이 모자를 쓴 채 교무실에 뛰어들어가다가 그만 교장 선생님께 부딪혀, 모자를 빼앗긴 적도 있습니다. 펠릭소는 울면서 형 라자로에게 도움을 청하자, 상급생이었던 라자로는 동생을 데리고 곧 교장 선생님께 죄송하다며 인사하러 갔습니다. 교장 선생님은 곧 모자를 돌려주면서 “형에게 고맙다고 해야지. 너도 공부 열심히 해서 형처럼 되어야 해…. 형은 우리 학교의 명예야"라고 타이르셨습니다. 학교의 교수들도 모두 라자로를 아껴주고 있었습니다.

그래서 중학 졸업 때 교무회의에서도 교사들은 "라자로 자멘호프가 이번 시험 성적은 보통 때의 정도는 아니고 다른 한 학생과 동점이지만, 이는 가엾게도 큰 병을 앓은 탓이며 그는 언제나 성실하고 근면하므로 은메달을 주어야 한다."고 추천하며 상을 주었습니다. 라자로의 일생의 장점은 재능보다도 성실과 근면이었습니다.

라자로는 또 집에서는 여동생과 남동생들과 지내면서 화단을 즐거이 만드는 일을 좋아했지만, 아름다운 꽃을 한 송이라도 꺾는 일은 꽃을 괴롭히는 일이라고 말하며 누구도 꺾지 못하게 했다고 합니다. 그는 문학이랑 음악과 산책 그리고 책과 소풍도 좋아하고 러시아 국민시인 **네크라소프**[12]의 시를 사람들 앞에서 낭송하는 일도 있었습니다. 톨스토이의 작품과 쇼팽의 음악도 사랑하고 있었습니다. 그는 또 혼자서 곧잘 산책하러 갔습니다만 가족이랑 기숙사의 학생 모두 자동차를 빌려가는 소풍에서는 모두에게 믿음을 받아 언제나 안내역을 맡게 되었습니다.

잔소리 많은 아버지 마르크스도 라자로에게는 어릴 때부터 우수함을 인정하여 다른 아이들과는 어쩐지 다르게 대해 주셨지만, 동생들도 질투 따위는 하지 않고 오히려 자신들과 아버지 사이에 친해지기 쉬운 지도자, 보호자로 믿고 있었습니다. 어느 날 밤의 일이었습니다. 아버지는 여느 때처럼 내일을 위한 준비로 많은 책과 노트를 펼쳐 놓고 공부를 막 시작하고

12) *역주: Nikolay Alekseyevich Nekrasov(1821-1878)

있었습니다. 시계는 10시를 가리켰습니다. 그때 갑자기 입구에 왁자지껄하는 소리가 들려 왔습니다. 라자로가 사촌 남자아이와 여자아이의 아주머니들과 자기보다 나이 많은 하숙생들을 데리고 귀가했던 것입니다. 이윽고 1층 방이 시끌벅적하고 웃고 노래하고 춤추기 시작했습니다. 갑자기 집안의 공기가 따스하게 되었습니다. 내일은 모두 아침 일찍 일어나지 않으면 안 되고, 아버지는 언제나 시간 관리에 특별히 까다로운 분이었습니다. 그런데 이때 웬일인지 잔소리 한 마디가 없었습니다. 라자로는 평소 성실하고, 선량한 소년이었으므로 아버지도 라자로의 탈선을 질책할 수 없고, 덕분에 다른 사람도 느긋하고 자유를 즐겼습니다. 동생들은 형 라자로가 하는 일이라면 무엇이라도 세상에 좋은 일로, 모범으로 생각하고 있었다고 합니다. 그들은 자라서도 형 라자로가 하는 에스페란토 일을 도와 폭넓게 활동했습니다.

(3) 인공세계어를 향한 길

언어를 향한 사랑과 번민

라자로는 이렇게 행복했습니다. 아픈 경우가 자주 있긴 해도, 그 정도는 부모가 관심 있게 돌보아 주었기에 병약함은 오히려 지혜와 감정을 조용하게 키워 주고, 보호 육성하여 사물을 깊이 파악하는 능력을 길러준 것 같습니다. 집에서도 학교에서도 사람들에게 사랑받고 신뢰받아 온 것이 또한 사람을 깊게 사랑하고 신뢰하는 성격까지 만들었습니다.

어릴 때부터 아버지로부터 외국어 기초를 세심하게 공부한 덕분에 공부도 즐거움이었습니다. 예를 들어, 같은 사건을 다르게 표현하는 좋은 방법이 있다고, 또 달리 표현한 것에도 통일성이 있다는 것을 아버지는 가르쳐주었습니다.

이것은 별 것 아닌 것 같습니다만 조금 깊이 생각하면 큰 의미가 있습니다. 아버지는 단지 여러 언어 기술을 가르친 것이지만, 순진한 소년의 머리는 더욱 깊게, 그냥 기술이 아닌 여러 언어의 불일치 틈새에, 언어의 저 밑에는 무엇인가 좀 더 중요한 실질 내용이 있음을 감지한 것입니다.

아버지를 중심으로 받았던 외국어 지식과 어머니를 중심으로 받았던 인간에 대한 깊은 애정과 신뢰의 감화는 라자로 마음속에 어울려 하나가 되어 뿌리 깊은 인생관이 되고, 세상만사의 여러 복잡한 표현 속에 뭔가 전체를 관통하는 실질적인 것을 느끼게 하는 힘이 되었습니다. 인류의 사회성을 주목한 것입니다. 세상 사람들은 대개 자신의 말씨, 자신의 사고방식만 진짜고, 자신이 말하는 바나 자신을 알아주지 않으면 상대방을 나쁘다고 생각합니다. 그러나 누구의 말이나 잘 들어보면 모두가 선하고 진실을 알리려는 의도가 있음을 알 수 있습니다. 라자로는 세상의 의심이나 오해로 인한 싸움과 불행을 없애려면 각자 제멋대로 생각하지 말고 좀 더 바른 것과 선한 것을 찾아서 그 실현을 위해 노력해야 한다고 느꼈습니다.

인간성을 향한 각성

비알리스토크 '초록' 거리의 검소한 자멘호프 선생 집에서는 조용하고 온화한 어린 라자로가 진리를 추구하는 지혜와 인류 사랑의 씨앗을 키워가고 있었습니다. 그러나 그 조용하고 온화한 집은 어수선한 세상의 거센 파도로부터 어린 생명과 영혼을 보호하기 위하여 마르크스 자멘호프 선생 부부가 든든한 방파제였습니다. 그 집이 있는 구역의 바로 옆 동네는 '희고 푸른 마을'이라는 본래 이름이 있지만 '더러운 마을'이라고 별칭이 생길 정도로 더럽고 어둡고 좁은 골목이었습니다. 여기서 곧잘 싸움이 일어났습니다. 유대인 노인이나 여자가 지나가면 다른 인종의 개구쟁이들이 유대어로 흉내를 내면서 "후라후레후로, 왕왕왕" 따위의 허튼 말을 하고서 때로는 돌멩이를 던지며 도망치기도 했습니다. 노인은 상처를 입어도 대항하려 하지 않고, 뭔가 중얼거리며 침울한 얼굴로 슬픈 듯이 사라졌습니다.

맑은 물이 흐른다는 뜻의, 비알리스토크 마을에는 이러한 어둡고 보기 싫은 일이 날마다 그치지 않았습니다. 마을 광장이자 장터에는 그 지역의 마을에서 물건을 파는 리투아니아 아주머니가 사용하는 말이 물건을 사러 온 독일사람에게는 통하지 않아 입씨름이 벌어지는 경우가 있었습니다. 그때 사람들이 모여들고, 여러 종류의 야유가 들리고 싸움이 벌어지기도 합니다. 러시아 황제 정부의 헌병과 관리는 뽐내며 "러시아말로 해, 여기는 러시아 황제 폐하의 영토라니까." 하며 소리쳤습니다. 학교에도 러시아말을 쓰도록 강제했습니다. 폴란드사람은 불끈 화를 내어 "뭐라… 여기가 어딘 줄 알고 그런 말을…"이라고 무심코 이야기했습니다. 그 말을 한 죄로 그 폴란드사람은 곧 체포되어 끌려갔습니다.

이런 일이 매일 눈에 띄었습니다.

"…인간은 모두 형제라고 내가 배웠지만, 우리 마을의 거리나 광장의 여기저기에서 내가 눈으로 보고 느낀 것에는 인류는 없는 것이 아닌가? 있다면 러시아인, 폴란드인, 독일인, 유대인들이라는 인종뿐 아닌가? 라고 하는 것이었습니다. 이것은 언제나 어린 나의 마음을 잔인하게 계속 괴롭혔습니다. 어린아이인 주제에 '세계를 위한 고민'이라니 사람들은 아마 웃을 일입니다. 그때 나에게는 어른이 되면 뭐든 어떤 일이라도 할 힘이 생기겠지, 내가 크면 이 불행을 없애 보리라고 끊임없이 혼자 되풀이해서 말했습니다…." 라고 뒷날 라자로는 자신의 어린 시절의 심정을 쓰고 있습니다.

하나의 언어를 향한 꿈

사람은 누구라도 어머니 젖을 빨면서 말을 배워 성인이 되고, 그 말이 그 사람의 인격이 됩니다. 그 말 속에 인간애와 자각이 들어 있습니다. 사람이라면 새의 지저귐 소리에는 화내지 않아도, 서로 만나 서로의 말이 통하지 않으면 매우 거슬립니다. 통해야 할 것이 통하지 않기 때문입니다. 서로 사랑하고 서로를 인정해 주려는 말인데도 오히려 통하지 않으면 오해나 경멸의 씨앗이 되기 때문입니다. 사람으로 마음속에 사랑과 존경이 잠재해 있기에, 증오와 분노가 일어났습니다. 사랑하고 싶고, 사랑받고 싶은 마음이 있어도 사랑하고 사랑받을 수 있도록 할 수 없기 때문입니다. 언어 혼란이 인생 최대의, 유일한 불행이라고 느꼈다는 자멘호프의 말은, 사람은 공동생활을 하는 사회적 동물이지만, 그 사회성이 충분히 자랄 수 없는 상황을 접하면 그 사람에겐 큰 불행이다는 뜻입니다. 자멘호프는 사람이 가지는 증오와 분노에는 그 안에 사랑이 있기 때문이라고 하는 것을 깊이 감지했습니다. 싫어해서가 아니라, 어찌 되어도 좋아서가 아니라, 실은 사랑하고 싶기에 싫어하고 경멸하는 것입니다. 분노의 저변에는 사랑이 있습니다. 라자로는 이 점을 깊이 느낀 것입니다. 반사회적 혼란의 저 아래에는 사회성이 있다는 점을, 이 점을 개발하여 키우고 싶다고 라자로는 마음속에 기원했습니다.

"그러나 무슨 일이건 어린이가 생각하는 대로 손쉬운 일이 아님을 점점 알게 되었습니다. 하나씩 또 하나씩, 어린 마음의 여러 가지 아름다운 공상을 버려갔습니다. 그래도 단 하나, 인류를 위한 하나의 언어를 향한 꿈은 어떻게 해도 버릴 수 없었습니다."

라자로는 한평생 이 어린 날의 마음을 잊지 않았습니다.

"무심코, 물론 특별히 세운 계획도 없이, 어쨌든 나는 이 일에 매료되어 이끌렸습니다. 언제던가… 꽤 어릴 때였지만 내 머릿속에 그 하나의 언어는 어느 한 나라 국민의 것이 아닌 중립적으로 되어야 한다고 생각했습니다."라고 쓰고 있습니다.

순진한 어린아이의 생각은 어른인 현명한 철학자보다 때로 특출할 수 있습니다. 이것은 막연하지만, 실로 큰 문제의 해결책인 것입니다. 그것은 눈앞의 여러 민족이 지금까지의 사물을 보는 방법과 말로 표현방법을 있는 그대로, 사실로 존중하고 인정하지 않으면 안 됩니다. 그러나 그 정당함과 통용에는 제한과 한계가 있습니다. 그것은 그대로 어디에나 통용시키면 사고가 납니다. 그 제한과 한계를 뛰어넘는 단계의 생활을 위해 인간은 특히 노력하여 사물을 새롭게 보는 방법과 표현방법을 연구해야 합니다. 지금까지의 사람들의 생각하는 방법과 말하는 방법은 존중하고 인정하되, 과대평가는 하지 말고, 또 새로운 연구 노력을 통해 새로운 단계의 생각 방법, 말의 표현방법을 창출해 나가야 한다고 했습니다. 그래서 라자로가 다른 사람에게 보낸 편지 가운데 다음과 같은 내용이 있는데, 이를 보면 짐작할 수 있습니다.

"…그렇게 좋아서 열심히 러시아어를 공부하고 러시아 문화를 사랑했지만, 세상은 그 사랑에 대하여 증오로 대답합니다. 러시아 제국 지배자들은 자기들이야말로 인간이라고 말하고, 유대인이나 폴란드인을 인간의 권리도 없는 사람으로 치부해 버립니다. 아버지도, 할아버지도, 어린아이도 이 땅에서 태어나 이 땅에서 일해 왔는데 마치 거추장스러운 타향 사람처럼 치부해 버립니다. 모두가 나의 동포를 싫어하고 업신여기고 억압했습니다. 자세히 살펴보면, 또 각기 다른 인종인 폴란드인, 리투아니아인, 백러시아인, 독일인도 서로를 바보 취급하고, 서로를 미워하고, 서로를 못살게 굴고 있습니다. 그래서 나는 괴로운 생각이 많았습니다. 그리고 언젠가는 모든 사람이 완전한 권리로 자기 것으로 말하는 언어를 가지고, 안심하게 살아가는 국토를 가지고, 서로의 마음을 이해하며 사랑하고 모든 국민의 미움이 사라져 없어지는 행복한 때가 오리라는 꿈을 가꾸어 왔습니다."

인공어와 자연어

강한 나라 큰 민족의 말을 빌려 쓰면, 약소 나라 작은 민족의 생활이나 마음, 문화가 충분히 자유로울 수 없다는 사실을 느꼈습니다. 사용하는 말이 완전한 권리로 자기의 것으로 하는 언어라야, 어떤 것에도 의존하지 않는 자유 독립된 언어라야 된다고 느꼈습니다. 그래서 언어 한 가지는 부모로부터 자연스레 배우고, 또 다른 언어 하나는 특별히 뒤에 노력해 배우는 수고를 한다면, 이는 그리 큰 불이익이 아닙니다. 인간에게 중요한 것은 자존심의 자각입니다.

이리하여 차분한 라자로는 중립이라는 온화한 말씨 속에, 사실 회색도 아닌, 무색의 투명함도 아닌, 생생하고 자주적이면서도 자유, 평등, 우애, 정의 등의 정열이 담긴 말을 생각해 냈습니다. 비알리스토크에서 바르샤바의 제2 고전 중학에 전학했던 당시(1874년) 라자로는 열심히 그리스어, 라틴어 등의 고전어를 공부했지만, 이 언어들은 옛날 그리스, 로마의 뛰어난 학자와 시인, 유명 정치가와 영웅들이 사용한 말로, 고대에서 중세에 걸쳐 오랫동안 서양의 모든 민족의 문화 통용어가 되어 왔습니다. 라자로 소년은 옛 시인들이나 웅변가들의 문장과 역사를 읽어가면서 마음이 떨렸습니다.

"나도 웅변을 하고 영웅이 되어 세계를 향해 걸어가고, 열성적인 연설로 이 옛 문화어에서 뭔가를 부활시켜, 그것을 오늘날 세상의 공통어로 쓰도록 모든 사람을 설득시켜야지"

라고 장래의 소망처럼 이야기한 적도 있습니다. 그러나 이 옛 언어는 연구하면 할수록 어렵고 여러 가지 불규칙과 불합리점도 많아 지금 사람들의 생활과 사고방식에는 맞지 않았습니다. 그래서 사어(死語)가 되었기에 지금의 생활에 맞지 않습니다. 그래서 라자로도,

"결국, 나는 어떤 형태인지 생각할 수 없지만, 옛 언어를 부활시키는 일은 가능한 일이 아님을 불확실하지만 그런 생각이 들었습니다."라고 쓰고 있습니다.

본인도 정확하게는 생각해 내지 못했던 인공어(人工語)라는 생각의 방향으로, 사실은 복잡한 조건이 완전히 갖추어져 있었습니다. 성냥을 그으면 불이 생깁니다. 그것은 간단합니다. 그러나 그냥 나무토막을 나무상자에 비빈다고 불은 생기지 않습니다. 성냥의 머리 부분을 성냥 상자의 어느 종이에 부딪히는 순간에 불이 생기게 되는 것입니다. 그처럼 인공어라고 하는 생각이 타오르기 위해서는 그 정도의 조건이 갖추어져야 합니다. 라자로는 어릴 때부터 독일어와 프랑스어를 배우고, 조금 커서 그리스어, 라틴어 등을 연구했습니다. 이런 외국어들을 모국어로 어릴 때부터 모르는 사이에 배우는, 그 해당 민족에겐 자연어입니다만, 나중에 외국어로서 배우는 사람에겐 노력해서 자신의 머릿속에 새겨 넣어야 하기에, 그런 사람들에게 있어서는 말하자면 인공적으로 받아들여지는 셈입니다. 외국어는 절반의 인공어입니다. 라자로는 이것을 벌써 체험하고 있었던 것입니다. 게다가 1860~70년대는 근대 산업이 부쩍 커가고 여러 발명이 번창하던 시대입니다. 라자로가 살고 있던 지방에도 철도와 공장이 들어서고, 새 기계가 돌아가면서 여러 발명품이 소개되었습니다. 발명이라고 하는 것은 자라나는 소년의 영혼에는 진기하면서도 대단한 흥미입니다.

어쨌든 지금까지 없던 것을 만들어 내는 것은 얼마나 유쾌한 일이겠습니까?

그것은 인간의 몸이 가지는 마음의 작용입니다. 이것은 인간이면 누구나 마음속에 있을 것입니다. 그러나 옛 방식의 지배자들은 한가하고 편하게 살려고 하고, 인류 대다수를 무시하는 사회에서는 대개 사람들의 이런 마음의 움직임은 꺾이고, 잠재워지고, 왜곡 당합니다. 그러나 있을 수만 있다면 각성의 움직임은 생기지 않을 수 없습니다. 라자로도 마음속에 이 정열이 끓어올라 연구 고안에 몰두하게 되었습니다. 그래서, 그가 얼마의 시간이 지난 뒤 고안해 보았던 타자기 설계도 등도 남아있습니다. 이 끈질긴 발명심으로 학교의 학생들 사이에서도 말을 만들어 보는 놀이 등이 유행했습니다. 그것은 외국어 놀이라고도 불렸는데, 자신이 하고 싶은 말을 거꾸로 말한다든지, 발음 사이에 여분의 음을 섞어 혼동하게 하여 모르는 사람에게는 외국어처럼 알아들을 수 없도록 농담처럼 하는 것입니다.

라자로가 살던 시절에는 러시아 황제의 압제에서 벗어나려는 폴란드 독립 운동투사와 러시아 혁명가들 사이에서는 군인과 헌병의 눈에 띄지 않도록 여러 암호와 비밀의 말도 고안되었습니다. 폴란드의 귀족 지주에 대항해 싸웠던 우크라이나 사람인 어떤 농노는 추격을 피하려고 거지 모습으로 변장하여 자기들만의 말을 만들어 사용하였다는 기록도 있습니다. 이 말이 '고부자' 라고 하는 현악기를 울려 떠돌이 유랑극단 광대들 사이에서 사용되었던 것은 그리 오랜 일은 아니라고 전해지고 있습니다. 마을과 마을을 떠돌아다니며 행상하던 에페니아 사람들 사이에는 상업의 매매 상담과 회화에 쓰이는 특별한 비밀어가 생겼습니다. 폴란드 지방 일대에는 이러한 암호와 비밀어의 고안이 매우 많았던 것 같고, 유대교를 신봉하는 사람들 사이에서는 주문(呪文)과 기호가 만들어지기도 했습니다.

인간의 자각과 공동과 노동

그것들은 모두 인공어였습니다. 라자로도 그런 것에 대해 들었을 것입니다. 어린이의 말놀이와 진실한 인류 이해와 우애를 위한 고민, 동료들만의 비밀어와 온 인류의 공통어, 그것은 마치 정반대 같습니다만 인류의 생각이 어떤 하나의 단계에서부터 그 정반대로 발전하는 것은 종이 한 장의 차이입니다. 또 라자로는 어릴 때부터 예술을 좋아했습니다. 하이네와 네크라소프의 시, 쇼팽의 음악을 진심으로 사랑했습니다. 어릴 때는 시인이 되고 싶은 기분으로 두근거리는 마음을 갖기도 하고, 또 뒤에도 언어를 음악에 견주어 보기도 했습니다. 라자로가 시와 음악을 사랑한 것은 그저 위안이나 취미로서가 아니라, 그 자신이 예술가의 영혼을 갖고 교감하기에, 그런 감정이 남의 일이 아니라 나의 일로 마음이 설레었던 것입니다. 강요당하며 괴로웠던 생활을 타파하려는 열정의 예술에 자기의 영혼을 불태우지 않을 수 없었던 것이었을까요? 고민과 번뇌를 깨쳐, 빛나는 아름다운 뭔가를 만들려는 마음의 다툼, 이런 예술정신이 바로 인간에 대한 사랑입니다. 인간이 각성하여 만들어 내려는 인간 정신의 큰 울림, 라자로는 이것을 느꼈습니다. 라자로의 마음을 움직인 예술도 민중 편의 예술입니다. 라자로 루도비코 자멘호프는 민중의 한 사람으로 눈떴습니다.

이 무렵 국제 노동 운동의 물결은 커가고 있었습니다. "만국 노동자여, 단결하라"는 구호가 각국의 대중에게 차례로 스며들어, 제1인터내셔널[13] 제2차 대회에서는 "세계어는 공동의 이익이다."라고 결의한 것도 이때입니다. 이 공기는 민감한 라자로의 직감에 영향을 미치지 않을 수 없었습니다. 어려운 그리스어, 라틴어 등과 같은 언어가 아니라, 학자나 지배계급의 언어가 아니라, 옛 문화를 갖지 않은 민중을 위해 공통어가 필요했습니다. 나날의 생활을 만드는 사람들의 새 문화어가 필요했던 것입니다. 이렇게 라자로의 마음속에는 인공어를 생각해 내는 조건이 자라나고 있었습니다.

"나는 여러 번 시험해 보았습니다. 인공적으로 많은 명사 변화와 동사 활용, 여러 문법의 변화를 연구하며 생각해 보았습니다. 그렇지만 인간의 말이라고 하는 것은 끝이 없을 정도로 많은 활용 변화가 있고, 수십만 단어가 있어, 그 큰 사전

---

13) *역주: 국제노동자협회(International Workingmen's Association, IWA) 또는 비공식 이름으로 제1 인터내셔널(First International)은 1864년 9월 28일 영국 런던에서 결성된 최초의 국제적인 노동 운동 조직으로, 1863년 폴란드 봉기 탄압에 항의하는 집회를 계기로 결성되었다. 1866년 스위스 제네바에서 제1차 대회가 열렸으며, 다양한 아나키스트, 사회주의자, 공산주의자들이 참여했다. 카를 마르크스는 제1 인터내셔널의 결성 선언문과 규약을 작성하는 등 제1 인터내셔널의 결성을 적극적으로 지도했으며 1870년에는 마르크스파가 제1 인터내셔널의 지도권을 장악하기에 이른다. 하지만 1871년 프랑스에서 수립된 파리 코뮌이 붕괴한 이후 제1 인터내셔널은 쇠퇴하게 되었고 결국 1876년에 해체되고 만다. (위키피디아)

에 나는 언제나 억눌린 기분이었습니다. 언어가 큰 장치로 된 기계처럼 보였습니다. 그러니 나는 스스로 '꿈을 버려라, 이 일은 인간의 의도로는 할 수 없다'라며 여러 번 설득하기도 한 것입니다. 그렇지만 결국 나는 언제나 본래의 꿈으로 돌아오고 있었습니다." ('추억의 편지'에서)

라자로는 여러 외국어를 어릴 때부터 공부했지만, 아직 그것을 비교하여 무엇인가 결론을 만들어 내기까지는 머리가 돌아가지 않았습니다.

중학 5년생(16세)일 때 영어 학습을 시작했습니다. 영어 문법이 지금까지 공부했던 다른 외국어보다 상당히 간단한 것에 그는 놀랐습니다. 라틴어, 그리스어 등의 매우 복잡한 언어를 대하다가 갑자기 영어에 입문하자 두드러지게 그 차이를 느꼈던 것입니다.

"…문법 형태가 많이 있다는 것은 그냥 무턱대고 역사의 길에서 생긴 것일 뿐, 언어 자체에서는 필요치 않을 수도 있다."

이런 판단이 서자 그는 언어들을 잘 조사하여 불필요한 것들을 하나둘씩 없애갔습니다. 그러자 문법은 손안에서 줄어들고 결국, 2~3페이지 정도로 충분한 최소의 문법에 이르렀습니다.

신기한 발견

라자로는 점점 근대인이 되어 갔습니다. 이는 언어의 형태뿐만 아니라 사물을 생각해 내는 방식, 느끼는 방법, 생활의 여러 방면에서도 있는 일입니다. 오랜 역사의 흔적이, 여러 생활 형식이 필요 없음에도 남아서 우리의 합리적 생활을 방해하고 있는 것이 매우 많습니다. 이와 같은 것을 계속 정리해 가야 하지만, 그것을 실제로 실천하는 이는 의외로 적습니다. 라자로는 이 점을 깨닫고, 힘을 얻어 더욱 열심히 인공어의 고안에 열중했습니다. 그러나 큰 출입구에 놓여 있는 덩치 큰 사전을 생각하면 그는 안심하지 못했습니다. 자다가도 또 깨어서도 이 단어군(單語群)의 일에 매달렸습니다. 그러던 어느 날이었습니다. 라자로가 중학 6~7년 때의 일이었습니다. 그날 그는 언제나 지나다니면서도 눈여겨보지 않았던, 도로변의 "수위실(ŜVEJCARSKAYA: 守衛室)" 간판과, "제과점(KONDITORSKAYA: 菓子店)" 간판이 유달리 눈에 띄었습니다. 이것은 언제나 눈에 익은 것이지만 두 간판에서 이상하게도 "집(-SKAYA)"[14]이라는 의미가 공통으로 들어 있음에 흥미로웠습니다. 그래서 문득 깨달았습니다. 낱말이란 이 "집" 처럼 접미사를 잘 사용하면 하나의 낱말에서 다른 낱말을 만들어 낼 수 있겠구나, 그렇게 되면 많은 낱말을 모두 하나하나 외우지 않아도 되겠구나 하고 알게 되었습니다.

"이건 대단한 발견이야"라는 생각에 도달한 그는 "…돌연 사전 위에 한 줄기 빛이 내려와 낱말들로 꽉 찬 사전이 눈앞에서 점점 작아져 갔습니다."

"문제가 풀렸다!"

라고 라자로는 외쳤습니다. 라자로는 접미사를 이용할 생각을 붙잡고 이 방향으로 점점 일을 진전시켜 보았습니다. 라

---

14) *역주: 경비실의 <실>이나 제과점의 <점>이라는 낱말 속에는 장소를 뜻하는 '집'이라는 의미가 내포되어 있음.

자로는 이제 언어의 노예에서 언어의 주인이 되었습니다.

"자연 언어에서는 그냥 부분적으로, 엉터리로, 불규칙하게, 불완전하게만 효력을 나타내는 그 힘을 의식적으로 자각하여 만들어 낸 언어에서는 완전하게 사용하기만 한다면, 얼마나 큰 의의가 있는지를 나는 깨달았습니다.

…언어의 은밀한 구조가 나의 눈앞에서, 나의 손바닥 위에 있는 것처럼 되었습니다. 나는 이제는 사랑과 희망으로 계속 규칙적으로 작업해 나갈 수 있었습니다."

뭐라고 말할 수 없을 정도로 신기하고도 강력한 깨달음이었습니다. 이것은 언어만 아니라 세상 모든 일이 그렇습니다. 괴롭게, 어렵게, 어떻게도 풀리지 않을 것처럼 여겨지는, 크게 복잡하게 얽히고설킨 일의 해결은, 눌려도 당겨도 어떻게도 되지 않을 듯 같아 보였던 일의 해결의 힘은 반드시 그 문제 안에 있었던 것입니다. 라자로가 괴로움을 떨치며 붙잡은 해결책은 밖에서의 새로운 다른 물건에서가 아니라 바로 앞에서 그 물건이 지닌 것을, 단지 새롭게, 좀 더 순수하게, 좀 더 완전하게 자각하여 잡아 고친 것입니다. 언어 혼란을 해결하기 위해 완전한 인공어를 만드는 것은, 절대로 모래 위의 성을 쌓는 것처럼 혼란한 언어 위에 완전 새로운 다른 물건을 만들 수는 없습니다.

혼란 속에 있는 언어 속에 움직이는 힘을 분명하게 자각하여 완전하게 활동시키는 것이었습니다. 여기에 도달하기까지 라자로도 여러 가지로 더듬어 쓸데없는 수고를 해 왔습니다. 먼저 문법에서 여러 불필요한 규칙과 습관을 완전히 버리자, 낱말이란 그것이 어떠한 형태로 있으면 어떤 의미를 나타내는 것이라고, 쓰는 사람들이 서로 미리 정해 놓기만 하면 그렇게 의사소통이 됩니다. 그래서 짧으면 짧을수록 좋은 것입니다. 예를 들면 지나치게 긴 <회화를 한다>라는 문구 대신에 "빠"라고 정하면 그렇게 통하겠지 라고 생각하여, 가능한 음절은 한 음절로 하고 짧게 낱말을 만들어 보기도 했습니다. (예를 들면 a, ab, ac,...ba, ca,.....e, eb, ec,...be, ce,... 등). 그러나 이 생각은 얼마 안 되어 그만두게 되었습니다. 이처럼 머리에서 마음대로 생각해 만들어 낸 낱말은 자신이 사용해 보아도 배우기 어렵고 기억도 어려웠습니다. 이것은 라자로보다 앞선 삶을 살다간 사람들이 시도해보고 모두 실패한 것들입니다. 라자로도 대충 그 코스를 더듬어 갔습니다. 언어란 그냥 지식과 이성만이 활동하는 것도 아니요, 약속과 계약의 것도 아닙니다. 또 짧은 것만이 경제적인 것도 아닙니다. 예를 들면 몸에 영양을 주는 식품은 영양가도 있어야 하고, 맛도 있어야 하고 배에 만복감도 필요합니다. 낱말은 뜻만 아니라, 듣기 좋고 쉽게 외울 수 있어야 하고, 지식만이 아니라 맛이, 어떤 감정 뿌리가 아닌 생활 감각이 충족될 수 있어야 합니다. 인공세계어는 약품이 아니라, 정신적 영양을 공급하는 합리적으로 요리한 식품 같은 모습이 되어야 합니다.

"…이 지구상에 눈앞의 모든 현대국어는 이미 국제적으로 완성된 많은 수효의 낱말을 비축하고 있습니다. 이것은 이 점을 통해 국제어가 만들어진다면, 이 국제어엔 그 점이 보물창고가 됨을 알았습니다. 그리고 물론 나는 이 보물창고를 이용했습니다."라고 라자로는 기술하고 있습니다. 그리고 낱말의 재료는 주로 세계 근대문화의 선두에 서 있던 여러 민족의 언어 속에서 구하게 되었습니다. 그것은 로마-게르만계 언어(프랑스 영국 독일어 등)가 주가 되었습니다. 이들의 재료를 바탕으로 새 언어 규칙성이나, 그 외에 중요한 조건에 맞도록 필요한 만큼 손질해 만들었습니다. 이렇게 해서 마침내 인공세계어가 일단 완성되었습니다.

이것은 우리에게 무엇을 가르치고 있는 것일까요? 이른바 자연어가 무턱대고 만든 인공어라 한다면, 인공세계어는 눈뜬 자연어입니다. 인공세계어를 만들고, 배우고, 사용함은 지금까지 자신이 써온 행복한 언어를 다시 보고, 다시 생각하고, 자각하게 합니다.

(4) 모든 국민의 미움이여 무너져라

인공어 생명의 축하

새 인공세계어 형태가 분명히 하나의 언어 모습으로 완성된 것은 1878년의 일이자, 라자로가 19세로 중학교의 최상급반인 8년생의 일이었습니다. 그것은 아직 오늘날의 에스페란토와는 조금 다릅니다만 그는 매우 기뻐하며, 곧장 학교의 친구들에게 자신이 만든 언어 이야기를 했습니다. 정열이 불타는 나이의 동료들은 모두 그의 의견에 공감하여 이 언어를 배워 보기 시작했습니다. 전 인류의 괴로움을 없앨 수 있다는 높은 이상에 감격하고, 이 언어가 신기하게도 쉽다는 점에도 끌렸습니다. 그해 12월 5일 라자로의 방에서 이 언어에 생명을 불어넣는 축하 모임을 열었습니다. 꾸밈이 없는 책상 위에는 이 새 언어의 작은 문법, 사전, 번역 작품을 진열해 놓고, 주위에는 라자로를 중심으로 6~7명의 동료 학생이 한자리에 앉았습니다. 희망과 감격이 넘친 청년들은 이 언어로 이야기하고, 이 언어의 노래를 열심히 불렀습니다.

모든 국민의 미움이여
무너져라, 무너져라, 때가 왔다.
전 인류는 한 가족이다.
일치단결하자.
……라고

이날은 인공세계어가 세계 한 모퉁이 구석에서 처음 태어나서 울려 퍼진 날입니다. 이 모임은 라자로에겐 뭐라 말할 수 없는 기쁨이 되었습니다. 그것은 오랜 답답한 고민과 괴로움을 극복한 경지였기 때문입니다. 그것은 결코 그냥 문법과 사전을 만드는 수고만을 뜻하는 것은 아닙니다. 단지 언어가 통하지 않아 불편하고, 불리하게 살아온 괴로운 사람들을 동정한 것도 아닙니다. 사실 라자로 자신의 마음속 근본 고민의 해결이었던 것입니다. 나는 무엇인가? 세상은 무엇인가? 무엇을 위해, 왜, 이 상태로 좋은 것인가? 어떻게 하면 좋을까? 하나에서 열까지 모두 숨 막힘과 같은 의문, 고민의 세월이었습니다.

"…사실 나의 일생은 본래 조그만 어린아이일 때부터 오늘에 이르기까지 항상 계속 끊임없이 여러 가지 투쟁의 연속입니다. 내면적으로 나의 마음속에서 항상 여러 이상과 목적이,

내겐 어느 것도 빼고 또 더할 수 없어서, 서로 싸우고 있어 그것을 조정하는 것은 매우 어려웠습니다. 그것이 굉장한 어려움이었습니다.…”

(1905년 자서전 형식의 편지)

또 그가 죽음 조금 앞에 쓰기 시작하여 끝내지 않은 채 책상 위에 남겨 놓아 연필로 급하게 휘갈겨 쓴 논문의 초안에는 이런 것이 쓰여 있습니다.

“…내가 지금 쓰고 있는 것은 새삼 머리에 떠오르는 것이 아니라, 40년 전인 내가 16~18세 때의 일입니다. 그때 이 사람 나는 깊은 생각 속에서 여러 가지 과학, 철학 서적을 읽어 왔어도, 그 당시 <신(神)>과 <불사(不死)>에 대한 생각은 거의 조금도 변하지 않았습니다.…

과학의 세계에 정나미가 떨어져도, 신앙을 가진 사람들의 세계어는 그 점을 보충할 공감이 전혀 느껴지지 않았습니다. 왜냐하면, 나의 신조는 그들 신앙을 가진 사람들의 신조와는 달랐기 때문입니다…”

여기에서 라자로는 아버지라고 말할 수 있는 과학과 어머니라고 말할 수 있는 신앙에서 만족하지 못한 뭔가를 느끼고 있었습니다.

“…내 어머니는 종교적 신심이 깊은 여인이었습니다. 그러나 아버지는 무신론자였습니다. 나는 어릴 때 신과 영혼의 불멸에 대하여, 우리 대대로의 종교 교의(教義)에서 가르침 받은 모양을 믿고 있었습니다. 그러나, 내가 몇 살 때부터 다른 생각을 가졌는가에 대해 확실히 기억하지 못합니다만, 나는 종교적 신앙을 잃어버렸고 15~6세 때에는 의심의 절정에 다다랐습니다. 그것은 또 나의 일생에서 제일 고통스러운 시기였습니다. 인생이 나의 눈에는 완전히 무의미하고 무가치하게 보였습니다. 나 자신도 다른 사람도 싫은 마음으로 바라보았습니다. 어떻게 해서 무엇을 위해 생겼는가? 알 수 없는 무의미한 고기 한 덩어리, 그것이 영원의 시간 흐름 속에 간신히 일순간 살아가고, 얼마 안 되어 썩어 영원히 없어져 버리고, 앞으로 수억 년의 세월이 지나도 결코 두 번 다시 나타나지 않을 것으로 알았습니다. 무엇을 위해 나는 살아가고 있는 것일까? 무엇을 위해 나는 공부하고 일하고 사랑하는 것일까? 모든 것이 그렇게 무의미하고 무가치하고 그렇게 우스운 것처럼 보였습니다…!"

여기까지 쓰고 자신의 수기는 끊어져 있습니다. 그 비망록의 종이 여백에는 이후 계속될 계획을 여기저기에 기록해 두고 있습니다.

"…나는 느꼈다. 필시 죽음이란 없어지는 것이 아니다…자연계에 무엇인가 법칙이 있다…무엇인가 나를 높은 목적으로 인도하는 …"

구도의 걸음

그것은 혼란한 과도기 시대의 고난이기도 하고, 평화 없는 땅의 덧없는 세상 괴로움이기도 했습니다. 또 항상 차별대우를 당하던 불행한 백성의 고민도 있었습니다. 인간으로서 성장하여 자신에게 눈뜨려고 하는 기특한 청춘의 벅참도 있었습니다. 부모가 애정을 가지고 세상의 거센 파도로부터 두둔해 주면 인생의 진실을 잡을 수 없는 안타까움이 생깁니다. 아버지가 이지적으로 인도하면, 이지에서는 만족할 수 없는 인생을 느끼고, 어머니가 애정으로 귀여워하면 인정으로 풀 수 없는 괴로움을 느낍니다. 사람이라면 누구나 이러한 시기가 있습니다. 인간만이 괴로워할 수 있는 것은 발전한 사회생활 때문입니다. 고민은 인간성의 자각입니다. 그것을 통해서 인간은 성장하고 그것으로 사회 발전도 가능하게 됩니다. 청춘의 고민은 아직 형태를 갖추지 않은 인간성의 고조요, 어린 자유스러운 마음이 늙은 부자유스러운 마음의 끓어오름에 대한 격투였습니다. 라자로도 이처럼 인생 문제로 괴로워했습니다. 그것은 구도의 걸음이고, 종교 비판의 과정이었습니다. 이 과정이, 바꿔 말하면, 인공세계어를 만드는 길이 되었던 것입니다. 그것은 인생의 의의를 잡으려고 하는, 진실의 법칙을 찾으려 하고 나타내려고 하는 노력입니다. 신이란 무엇인가, 인생이란 무엇인가, 자기고민, 깨달음, 의무, 이상이란 무엇인가, 진리, 죄악, 구원 따위 모든 문제에 단지 하나의 해답으로, 즉 "언어"라는 열쇠를 라자로는 만들었던 것입니다. 신이 언어요, 죄악이 언어요, 구하는 것이 언어요, 자신이, 사회가 언어입니다. 이러한 기분이 그의 신념이 되어 갔습니다. 이것은 지나치게 착실한 한 소년이 열심히 생각하고 표현한 인생관입니다. 어린아이의 그림은 서툴고 못 그려도 진실성은 빠뜨리지 않습니다. 언어라는 것이 라자로 루도비코 자멘호프에게는 간단하게 회화 기술을 말하는 것이 아니라, 인생의 고민을 종합적으로 암시하는 것입니다. 인간성과 사회성의 자각인 것입니다. 라자로는 인생의 고민이 언어 혼란에 나타나며, 그 언어 혼란을 극복하기 위한 노력 속에 인생의 고민을 푸는 단서가 있다는 생각을 말하고 싶었습니다. 라자로는 그 인생의 괴로움, 불행은 어떻게 할 수 없는 것이 아니라, 그 안에 행복한 본성이 포함되어 있다고 생각했습니다. 심각한 불행으로 느껴지는 인종 민족 간 감정의 대립, 종교와 세계관의 대립, 모든 언어의 대립으로 상호 불통과 몰이해, 증오, 이것들은 인간 사회가 진보의 길로 가는 도중의 임시 모습입니다. 증오의 저변에 사랑이 있다고, 인종이나 민족 속에 인간성이 있다고, 여러 세계관이나 여러 언어의 저변에 사회의식이 있다고, 인간성의 자각, 사회성의 자각이 행복을 향한 첫걸음이라고 생각했습니다.

지금까지의 종교 교의나 언어가 맹목적 역사에 묶여 있어, 어느 것도 충분하고도 완전한 것이 아니라며, 이것을 버리고 뛰어넘는 세계관으로 이해하는 것이 필요하다고 그는 생각했습니다.

희망하는 사람

그는 대담하게 생각했습니다. 지금까지의 종교나 언어의 형태는 역사 단계로 인정된 것일 뿐, 고정된 절대적인 것이 아니다며. 또, 결국 인간이 자각하여 공동 노력으로 발전해 온 것이다며, 이러한 인간 자각과 사회적 공동과 부단한 진보적 노동의 안내를 통해 인공세계어의 생각에 도달했습니다.

예로부터 사람들이 여러 가지로 묘사한 신(神)에 대한 생각의 실체는 결국 이것이었습니다. 인간의 자각과 공동과 노동의 길. 라자로가 가고자 한 구도자의 발걸음에서 마음의 고민을 먼저 해결할 수가 있었습니다. 그러나 고민을 해결한 것이 아직은 괴로움의 해결로는 연결되지 않았습니다. 괴로움은 생활의 실제 문제입니다. 세상에는 마음의 고민만 해결하면 괴로움도 해결된다며, 고민과 괴로움을 살짝 바꾸어 놓는 속임수가 있습니다. 그 생활의 괴로움을, 속된 해결책인 눈앞의 이익으로 생각한 채, 고민을 해결하려고 하는 대신 잊어버리고 내버려 두는 사람이 많이 있습니다. 언어는 마음과 생활을 연결하는 것이니, 고민을 해결한 마음으로 생활의 괴로움을 해결하고자 하지 않으면 언어의 본령은 충족될 수 없습니다. 고민을 해결한 마음으로 대하면 괴로움을 해결하기란 즐거운 노력이 됩니다. 라자로는 이렇게 생각했습니다.

괴로움 속에 즐거움을 가지는 것이 "희망"이라는 말입니다. 라자로는 자신의 필명으로 에스페란토(Esperanto: '희망하는 사람'을 뜻함)라는 이름을 사용했습니다. 구도자의 마음을 나타낸 것이겠습니다. 그는 "노동과 희망……"이라는 말을 생활의 표어로 끊임없이 사용했습니다. 그는 인간 사회의 공동 기술인 언어의 합리화 문제에서 마음의 고민이나 생활의 괴로움을 해결하는 매듭을 찾아냈습니다.

아버지의 걱정

세계어가 이제 생명을 얻게 되었지만, 그것이 세상의 한가운데로 모습을 드러낼 때까지 그 근본은 아직 괴로운 고민

속에 더 있어야 했습니다. 라자로의 동료들은 감격에 넘쳐 이 새 언어의 사도로, 이것을 세상에 알리려고 주위 사람들에게 이야기해 보았습니다. 그러나 세상은 냉정했습니다. 바르샤바의 제2 중학 교수들은 무슨 일에 흠칫흠칫 떨고 있었습니다. 그로부터 약 수십 년 전, 당시 이 학교 학생들이 불온한 정치적 시위를 준비하고 있다는 소문 때문에, 제정 러시아는 이 학교에 특별한 탄압을 가했던 일을 잊을 수가 없었습니다. 그때 상급 6~7년 학생은 전부 학교에서 쫓겨나고, 학교는 폐쇄되고, 교장은 휴직해야 했습니다. 그 뒤, 큰 문제가 아님이 명백하게 되어 반년이 지난 뒤 겨우 학교는 다시 문을 열었고 교장도 복직했습니다.

그일 뒤, 수십 년이 흘러도 세상은 좋게 되지 않았습니다. 학교에서는 러시아어만 사용하도록 명령을 받았고 학생들이 쓰는 말이 언제나 폴란드 사투리를 벗어나지 못하고 있다며 매우 비난을 당하고 있었습니다. 이러한 시절에 학생들이 "모든 민족의 증오여, 무너져라. 때는 왔다." 하고 외침은 차르 지배에 대한 항의의 메아리로 들릴 수도 있었습니다. 학교 교수들은 마음을 졸이며 크게 걱정한 듯합니다. 악의 없는 사도들은 선생님에게 꾸중을 듣고, "아이의 꿈이다."라며 비웃음의 대상이 되자, "마음을 고쳐먹고" 사라져 버렸습니다. 이제 남은 이는 라지로 루도비코 자멘호프 한 사람입니다.

라자로의 아버지도 교장 선생님의 호출을 받아 갔습니다.

"청년의 머리에 그런 고정관념이 생기면 잘못될 수 있습니다. 뭐든 할 수 있는 유능한 학생이 저렇게 기묘한 것에 빠지게 하는 것은 실로 아까운 일입니다. 이대로 내버려 두면 병이 될 것입니다.”

라고 교장은 아버지에게 충고했습니다.

아버지도 크게 걱정했습니다. 아버지가 라자로를 어릴 때부터 그렇게 좋아하며, 라자로에게 여러 언어를 가르쳐 주었기에, 라자로는 학업 성적도 매우 좋았습니다. 까다로운 아버지도 라자로에게는 어떤 일이나 관대한 입장을 하고 있었습니다. 그러나 아버지는 자신이 가르친 지식을 발판으로 이 아이가 더욱 개성을 발휘하고 독창력을 나타내자, 매우 당혹해했습니다. 아버지 자신은 한 가지 일에, 즉, 입신출세를 목표로 하여 열심히 살아왔는데, 아들은 세상의 일반적 성공을 생각하지 않고 이상을 추구하는 경향을 보이니 말입니다. “이상가”라든가 “공상가”라고 불리면, 제정 러시아 지배 아래의 폴란드 안의 세상에서는 어쩐지 굉장히 두려운 경향이 있습니다. 때때로 반란이 일어나면, 탄압이 뒤따르고, 뿌리 깊은 반항과 의심의 눈초리가 강한 탄압이 서로 맞서니, 숨이 가쁜 분위기로 짓눌려 있었습니다.

유대인 출신으로 겨우 공립학교 교수의 지위를 지키며, 8명의 아이를 양육하는 집안의 가장으로서 제일 믿는 장남이자, 아래로 동생들 모두의 본보기가 되어야 할 라자로가 중학 졸업을 앞두고서 “공상가”가 되어버린다고 하면 그것은 큰일이었습니다. 근거 없는 일에도 세상엔 큰 소란이 벌어집니다. 집안에서도 답답한 분위기가 떠돌았습니다. 젊은이의 장래, 여러 동생의 생활은 어떻게 될까요?

유대인에게 남겨져 있는 사회적 직업 분야는 좁아, 의사나, 변호사가 되는 정도였습니다. 라자로는 의사가 되려고 했습니다. 의사로서 개업하여 먹고 살기에는 "공상가"라는 평판을 받게 되면 매우 방해물이 됩니다. 환자도 찾아오지 않고, 세상으로부터 이상한 사람으로 취급되는 것에 아버지 걱정이 있었습니다. 그래서 어쨌든 라자로는 의사 학업에 열중하여, 성인이 되어 의사가 될 때까지는 이 세계어 일은 일시 중단을 아버지께 약속하였습니다.

"아직 이 일을 솔선하여 세상에 내기에는 내가 너무 어리고, 앞으로 5~6년 지난 뒤, 자라게 되면 이것을 충실하게, 실제로 시험하여 정성을 기울여 완성하리다."

이렇게 라자로는 생각했습니다.

"…자멘호프 박사의 아버지는 자식의 세계어 일에 반대하고, 화가 나서 노트를 잡아 찢었던 적이 있습니다…그러나 아들은 참을성이 강하고 많아, 또 다른 노트에 쓰기 시작했습니다. 그러던 수개월 후 또 아버지는 그것도 찢어 버렸습니다. 그러면 아이는 또 쓰기 시작했습니다…" 라고 자멘호프 가족에게 이에 대한 추억의 편지를 받은, 오랜 에스페란티스토 톰프도와키는 전하고 있습니다. 유명한 자멘호프 전기를 지은 저자 에드몽 뿌리바(Edmond Privat)는 라자로가 모스크바 의과대학에 입학하기 위해 모스크바로 출발하기 전, 그동안 고심한 노력의 결과물인 귀한 원고를 아버지의 가방 속에 두고서, 두툼한 줄로 묶어 버렸다고 전하고 있습니다.

모스크바 대학의 소요사태

그로부터 5년 반, 대학을 다니는 동안 라자로는 누구에게도 이 언어에 관한 일을 결코 입에 꺼내지 않았습니다. 라자로는 처음 도르파다 대학에 입학하고 싶다고 생각했습니다. 그것은 발트해 연안의 지방 대학으로 유서 깊고 유명한 대학입니다. 또한, 어느 정도 자유의 가풍이 많은 곳을 바라고 있었는지도 모릅니다. 그러나 부모, 교수, 친구의 기대를 한 몸에 안고 있어 최고학부인 제국 모스크바대학교 의과에 입학하여 좀 더 넓은 대도시에서 학생 생활을 시작하게 되었습니다. 여동생과 남동생이 많은 그의 집에서 충분한 학비를 받을 수가 없었습니다. 생활은 즐겁지 않고 집에서는 부모가 자식의 몸을 걱정하고 있었습니다. 부모를 안심시키기 위해 라자로는 편지를 썼습니다.

"…한 달 19루블로 나는 생활해 갈 수 있습니다…"

라고. 그러나 어떻게 그것으로 부족하진 않았을까요? 무엇인가 일자리를 찾아 조금이라도 벌어야 했습니다. 가정교사도 해 보았지만, 유대인인 그에게 수입이 좋은 일자리는 좀처럼 없었습니다. "모스코브스키 비에도모시티" 등의 신문에 잡문을 쓴 적도 있습니다. 그러나 생각처럼 돈이 되지 않았습니다. 세상살이의 괴로움을 그도 절실하게 느꼈습니다.

자멘호프가 모스크바에서 대학 생활을 보내던 때의 정세는 답답하고 불안했습니다. 심각한 농촌경제의 공황, 산업계의 불경기가 닥치자, 잠시 겉으로의 일시적인 진보 정치는 이전처럼 반동적이 되고, 혁명운동은 탄압을 당했습니다. 그러나 지주 귀족의 지배라는 구질서는 붕괴하고 있고, 자본주의는 급속히 발전하기 시작하여 생활이 급격히 변동했습니다. 알렉산더 2세 정부는 겉으로 진보적 개혁을 한다면서도 한편으로 반동을 강하게 하여 전제정치의 토대를 굳히고 있었습니다. 대학령(大學令) 개정으로 학생의 권리는 없어지고, 학제는 혁신의 모습만 그럴듯하게 꾸미고 있었습니다.

대학생들이 제기한 개혁을 위한 청원운동은 교수와 신문노조의 지지를 받아 고등학교까지 퍼져 갔습니다. 대학 총장은, 대학생들의 청원이 문교부로부터 승낙을 받을 것 같다고 말했습니다만, 돌연 정부로부터 그 청원이 기각되었다는 전보를 받자, 총장은 어떤 음지의 힘이 대학생들의 요구를 방해했다고 말했으므로 소요사태가 일어났습니다. 의과대 1년, 2년의 소요가 제일 컸던 것입니다. 대학생들은 속은 것입니다. 의과대 1년은 폐쇄될 것 같은 분위기라서 학생대회가 열렸습니다.

대학 당국은 경찰에게 의뢰하여 이를 저지시키려고, 군대와 승마헌병까지 와서 400명의 학생을 닥치는 대로 경찰서로 붙잡아, 그중 5~6명의 학생은 다음날에도 석방해 주지 않았습니다. "모스코브스키 비에도모시티" 지에 12월 8일 자로 제트(Z)의 머리글자를 가진, 의과대 대학생의 기고문이 실렸습니다.

"…톨스토이 백작이 문교부장관직에서 물러나자, 대학생들은 당연히 문교부 방침에 연달아 의문을 갖게 되고, 학생들을 불안에 휩싸이게 되었다.…학생대회의 토론결과, 학생들의 요구 조항은 1. 교내 자치 2. 집회의 자유 3. 강의 출판의 자유 4. 학생 식당 5. 공제 기금 등이었다.… 이것들을 문교부는 거절했다. 여기에 유감스러운 사건의 주된 원인이 있다. 이 분란 책임은, 대학 당국이 학생들에게 직접 또 결정적으로 거절하지 못하고, 학생들에게 희망조차 지니지 못하게 했고, 동시에 의회와 담합을 해 잘못된 결정을 지지한 것에 있다."

제트(Z)의 머리글자를 가진 이 기고자는 다른 곳에서 독일 문예의 신간 비평 따위를 많이 싣고 있지만, 이 기고자가 라자로 자멘호프인지 아닌지는 확실히 알 수 없습니다. 정부는 자유주의적 겉치레를 하면서 그 반대의 정책을 취하는 등 학생들을 마구 휘저었습니다. 당시의 "인민의 의지"[15]라는 혁명단체가 실제 대중의 힘이 없었지만, 5~6차례나 황제암살 계획을 세웠다가 실패하여, 심한 탄압을 받게 되자, 다음 해 1881년 3월 1일 알렉산더 2세 황제를 암살했습니다. 1880년~81년은 큰 정치재판사건이 계속되고, 탄압이 심한 시절이었습니다.

민족의 자각

이런 시대에 라자로는 모스크바에 있었던 것입니다. 그리고 이런 사건들은 라자로에게 깊은 감동을 동반하지 않을 수 없었습니다. 어느덧 그의 가슴에도 약소민족의 인간으로서 평등권을 위한 정열이 끓어오르고, 가만히 있을 수 없게 되었습니다. 유대인이라는 이유로 자신의 인종 신분을 숨긴다든지, 부끄러워해야만 하는 것이 어디에 있습니까? 다른 민족과 마찬가지로 인정받고 사랑받을 권리가 당연히 있습니다. 모든 나라에 흩어져 있는 모세의 자손들은 불행하게도 기세가 꺾여 있습니다. 이상(理想)을 뒤로 미루겠노라고 아버지와 약속했지만, 라자로는 자유스러운 문화의 전당을 만들고 싶은 꿈을 저

15) *역주: 테러에 의한 정치혁명을 지향한 '나로드니키'Narodniki.

버릴 수 없었습니다.

자유의 제단으로, 형제들이여
지금 서두르자! 우리의 집을 짓기 위해
제각기 벽돌을 옮기자.

바람과 홍수와 무지로 인해
대다수가 밀려나더라도
뿌려 놓은 씨앗과 노동은 땅속에서 살아남으리.
자각하자, 늘 압박만 당하던 민족이여!
이 시각에 잠을 자면 치욕이니.
대중의 대단한 큰 물결로
생명을 향해 깃발을 드높이자.
부유한 이는 황금에 눈멀고
권력자의 손에 키스하지만
가난한 이는 노동이라는 작은 밑천으로
사슬을 깨어 버리자.
자유의 제단으로, 형제들이여. 지금 서두르자……

이 시를 "러스키 이에브레이" 지에 실어 유대인들에게 호소했습니다. 또 바르샤바에서 열린 유대민족운동의 대회에서 열성적 연설로 사람들의 시선을 끌었던 적도 있습니다. 우크라이나 지방에 유대인 집단개척지를 만드는 것에 힘썼던 적도 있습니다. 민족의 자유와 독립을 위해 라자로의 정열은 끓고 있었습니다.

라자로가 국제어를 만들려고 생각했던 것도 우선 각지에 흩어져 사는 불행한 형제들을 모으자는 바램에서였다고 말하는 사람도 있습니다. 그러나 라자로 자멘호프는 시온주의자들이 유대인을 모든 민족 위에 군림하는 신성한 민족이라고 되풀이해서 말하는 것에는 괴로웠습니다. 그는 다른 민족을 모욕하는 편협한 민족적 배타주의가 되는 것을 묵인할 수 없었습니다. 시온주의자가 폴란드인, 러시아인들을 입에 담지 못할 말로 욕하는 것에 공감할 수 없었습니다. 제정 러시아의 지배자들을 향한 불평과 분개는 당연한 일입니다만 자신들이 함께 사는 국민에게 어떻게 그런 마음을 가질 수 있겠는가? 하고 말입니다.

라자로는 자기 민족을 깊이 사랑하고, 유대의 사상사도 깊이 연구했습니다. 그리고 옛 유대의 대 교육가인 힐렐(Hillel)의 가르침에 공감했습니다. 힐렐은 예수와 거의 동시대인으로서 팔레스티나의 가난한 집에 태어나서 어렵게 공부하여 유대교의 대학자가 된 사람입니다. 유대교는 그리스도교에서 분열된 종교로서, 세계적 종교에 비교해 한 단계 낮은 것으로 생각합니다만, 형식상 민족적이면서도 내용에 있어선 세계적 의식을 가진 점은 빠뜨릴 수 없습니다. 민족종교로서 엄격한 형식에 치우친 샴마이[16]파와 비교하면, 힐렐학파는 세계적 내용을 중심에 두고, 태어난 인간의 일상 실생활의 가르침을 주로 한 것으로 이는 윤리라든가 교육적 성질이 많이 느껴집니다. 당시 한 방면에서만 발달해오던 그리스도교가 로마제국의 노예제 사회에서의 인간 정신을 지향했지만, 힐렐의 가르침에는

16) *역주: Schammai, 기원 전후의 유대교 율법학자.

노예제에 굴하지 않는 자유 인간의 존엄성을 자각하는 것을 지향했습니다. 종교사를 연구하는 학자 중에는 힐렐을 예수와 동등하게, 또는 오히려 힐렐을 더 위대하다고 평하는 이도 있을 정도입니다. 힐렐은 유대 종교의 율법학자 중에서 세계적 내용을 내세운 대표적 인물이고, 세계 종교의 입장에서 그리스도교와 힐렐 종교를 비교하면 인간성의 자유 존중이라는 점에서는 오히려 힐렐의 것이 장점이 많다고 합니다.

라자로는 이처럼 힐렐의 장점에 매료되었습니다. 민족을 사랑함과 동시에 세계를 사랑하고, 세계에 통용되는 도리를 사랑하고, 자유와 인간존중의 가르침에 눈뜸에 따라, 마음 좁은 독선적 민족주의나, 시온주의자들의 배타주의를 비판해갔습니다.

대도시 모스크바에서의 답답한 학창 시절 동안, 그는 어릴 때부터 지니고 있던 인공세계어에 대한 생각을 누구에게도 털어놓지 않았습니다. 오랜 박해를 견디고 마음속 끝까지 지키는 유대적 신비라고 말할 수 있는 침묵으로, 사람들에게 알려지지 않을 정도로 깊게 마음속에 스며들어 갔습니다.

전 인류와 대화할 수 있는 언어를 가만히 혼자서 연구하는 기분이었습니다. 청춘의 정열을 단지 이 하나의 일에 열중해서 지낸 기분을, 이 사랑하는 언어로 된 시로 만들어 보고 자신을 위로한 적도 있었습니다.

…	…
아아, 나의 생각, 나의 고민,	Mia penso kaj turmento,
이 괴로움과 이 희망!	Kaj doloroj kaj esperoj!
아무것도 말하지 않은 채	Kiom de mi en silento
다만 정성 들여 바치는 공물!	Al vi iras jam oferoj!
엄숙한 사명의 제단으로	Kion havis mi plej karan-
바꿀 수 없는 귀중한 청춘을	La junecon-mi ploranta
눈물로 바친다.	Metis mem sur la altaron
	De la devo ordonanta!
…	……
(나의 생각)	(Mia Penso)

19루블의 돈으로 한 달을 살아야 하는 궁핍한 생활에, 당시 정치가 답답한 반동적 분위기로 바뀌어 가자, 라자로는 1881년 여름, 마침내 바르샤바로 "집안의 일"을 핑계 삼아 돌아옵니다. 그리고 바르샤바 제국대학으로 전학하여 의학의 학업을 계속했습니다.

미움과 사랑

어렵게 추진해 모스크바대학교에 입학했지만, 바르샤바 제국대학교로 전학한 것에는 깊은 이유가 있었을 것입니다. 경제적으로 생활이 어렵고 몸도 허약해 고향이 그리워 그랬다는 사람도 있고, 혹은 많은 학생이 투옥, 퇴학, 유급되는 상황이 올지도 모른다고 하고, 또 혼란, 동요와 불안한 정치적 탄압과 무성의한 학교 당국으로 인해 마음을 잡고 공부할 수 없게 되었던 까닭인지도 모릅니다. 자멘호프는 "모스크바에는 여러 민족 출신의 학생들이 와 있어, 모든 민족의 우애 필요성을 깊이 느꼈습니다."라고 쓰고 있습니다. 러시아 대학생의 생활에서는 보통 학업 이외에 사교가 중요한 요소이고, 화려하고 즐거운 사교 속에서 세상 견문을 넓히고, 앞으로 사회생활의 토대를 키우게 됩니다만, 그때 유대인인 그는 차별감정을 매사에 느꼈습니다. 성적도 좋았으므로 표면적으로는 존경받아도 그 뒤에 숨겨진 차가운 눈길을 계속 느껴야 했습니다.

민주적 기풍을 가진 사람이 차별감정과 만나면 감수성이 예민한 청춘의 마음속에는 견딜 수 없는 고통이 일고 복잡한 정신적 혼란이 생깁니다. 불공평, 부자유, 경멸에 대한 분노가 몸에 절실하게 다가왔습니다. 이런 마음의 혼란을 뚫고 나가기 위해 사람들은 충실한 수전노, 광신자, 또는 틀에 박힌 순수 학자나 예술가로 변하게 됩니다. 자멘호프는 이 절실한 "마음에 대한 분노"에서 깊고 넓은 사랑에 이르러 우애와 단결을 위해 목숨을 걸고 에스페란토를 마음속에 지니고 보호, 육성했습니다. 자멘호프는 진보주의 세력이 패배하는 시절의 한 가운데서, 아직 많은 대중이 충분히 나서지 않았기에, 그냥 정신적 형태로, 민중의 우애라는 말로 단결을 깊이 원했던 것입니다. 라자로는, 2년 전 모스크바에 도착한 뒤로, 아버지[17]가 빼어 두었던 세계어 원고를 찢어 버린 것을 알았으므로, 다시 만들기 시작했습니다. 아버지가 자주 찢음으로 그것이 언어계획을 개정하는 기회가 되고, 그렇게 다시 만들 때마

17) *주: 아버지 마르크스는 자주 라자로 원고를 찢었다고 전해지고 있음과 동시에 라자로가 에스페란토를 완성하기 위해 조언을 주고 협력을 했다고도 전해지고 있습니다.

다 조금씩 다듬어 갔습니다.

이렇게 해서 1881년에 다시 만든 초고에는 "제3 개정판"이라고 표지에 써 붙였습니다. 그 중학 시절에 "세계어의 생명과 축하"를 하고 난 뒤 6년간 여러 번 실제로 시험하고 손질하여 마무리해 갔습니다. 벌써 만족스러웠던 언어도 손질하다 보니 끝도 없는 일이 되었습니다. 이 새 언어로 번역과 원작을 해보니 이론상 완성된 것으로 생각했던 것도 실제는 미완성임을 알았습니다. 여러 가지를 삭제하기도 바꾸기도 고치기도 하고, 근본적 수정도 했습니다. 하나하나 보기도 하고 간결한 문장에서는 지장이 없겠구나 하던 것이 전체적으로 실제 사용해 보니 낱말과 문법, 원리와 실제 요구 따위가 충돌하고, 이 언어의 특징이라고 생각한 문법형식도 실제 사용에서는 쓸모없는 방해물이라는 것을 알았습니다.

"1878년 나는 이 언어엔 문법과 사전만 있으면 충분하다고 생각하고 있었습니다. 언어의 딱딱함과 답답함은 아직 내가 그것을 충분히 사용해 보지 않은 때문이라고 생각했습니다. 그런데 실제로 사용해 보니 차츰 언어라고 하는 것에는 언어와 문법 이외에도 아직 무엇인가, 잘 어울리는 요소인 언어에 생명을 주는 어떤 것, 확실한 <정신>이라고 하는 것이 필요함을 이해했습니다. …이윽고 이 언어는 나의 손안에서 이미 그때그때의 각성이 되고, 여러 언어의 뿌리 없는 그림자가 없어지고 그 자체의 정신, 자체의 생명, 다른 영향으로 폐를 끼치지 않는 그 자체의 확실한 모습을 갖게 되었습니다."

라고 라자로는 쓰고 있습니다.

세계어에서 국제어로

끈기 있는 라자로는 겨우 이른바 언어의 "생명" 이나 "정신"을 찾아냈습니다. 라자로에겐 대 발견이었습니다. 그것은 콜럼버스가 서인도제도의 산살바도르에 도착했던 것과 같은 것입니다.[18] 언어의 "생명"이란, 실은 인간 생명인 정신이 언어를 운용하는 것입니다. 언어는 본래 인간의 사회생활의 한 갈래입니다. 갈래는 줄기에 이어져 있습니다. 문법과 낱말은 언어의 그림자이며, 언어의 실체는 인간 사회의 생활입니다. 사람들은 자연어에 대해서 습관적으로 자기들의 생명과 정신을 혼동해 생각하고 있지만, 인공세계어에 대해서는 우선 그런 생명이나 정신과는 동떨어진 기계와 기술같이 생각하는 편입니다. 지금 자멘호프는 그 인공어 저변에서 생명과 정신을 발견했습니다. 그는 그것을 인간 생명의 일부라고 알아차리지 못하고, 언어의 생명, 정신이라고 불렀습니다.

이렇게 해서 어쨌든 인공국제어 에스페란토의 토대가 완성된 것은 1885년의 일이었습니다. 이 해에 라자로 자멘호프는 바르샤바 제국대학교 의과대학을 졸업하고 드디어 사회에 나왔습니다. 오랜 세월에 걸쳐 완성된 인공세계어도 어떻게 해서든 세상에 모습을 보이게 되었습니다.

---

18) *주:철학자이자 동양학자로 나중에는 언어학자로 유명한 독일인 막스-뮐러(Max Műller:1823-1900)도 자멘호프의 에스페란토 진가를 인정하고 "자멘호프는 20세기의 콜럼버스다"라고 칭찬하고 있습니다. 아메리카 대륙의 개발경영은 그 대륙의 발견 뒤 많은 사람의 활동이 뒤따라야 했던 것처럼, 인공세계어 에스페란토의 일에도 넓고 깊은 미개척 분야가 우리를 기다리고 있습니다.

지금껏 원고에 라자로는 대개 “세계어(Lingvo Universala)”라고 명명하고 있었습니다만 이때부터 “국제어(Lingvo Internacia)”라고 바꿔 불렀습니다.

어떤 사람은 라이만(1877년)과 구르톤(1885년)의 국제어제안이 영향을 주었던 것인지도 모른다고 말하고 있습니다만 사실 그것들과 에스페란토 문법과 단어는 여러 유사점이 있다고 느껴집니다. 서로 영향을 주는 것도 있을 수 있을 정도로 시대가 발전하고, 당시에는 큰 도서관과 백과사전 등에서 세계어의 여러 계획도 볼 수 있었습니다.

이 시대에는 모든 민족의 근대 국가가 잇달아 성장하니, 막연히 만국에 쓰인다거나, 보편적이다는 의미의 '세계적'보다도 민족 각각의 국민성을 바로 존중하고 인정한 바탕의 세계적 결합으로 '국제적'이란 사고방식이 더 중요함을 나타내는 것이겠지요. 라자로 자신도 유대인의 민족문제에 고심하면서도 세계를 더 자세히 살피고, ‘국제적’이란 나라와 나라 사이뿐만 아니라 각각의 민족성을 존중한다는 의미입니다.

2. 에스페란토 박사(Doktoro Esperanto)

(1) 세계어를 모든 사람에게

설계보다 건설에

모든 발명과 발견은 이것을 만들어 낸 고생보다 실제 유용하게 쓰는 것이 더 의미 있는 일입니다. 이론보다 실천이 어렵고 중요합니다. 인공세계어의 발명도 결코 쉬운 것은 아닙니다. 세계어를 고안한 사람들은 많습니다. 하지만 그 세계어들이 문법과 사전만 있다면, 이는 그 언어의 설계도에 불과합니다. 정말 언어라면 실생활 속에서 사람과 사람을 연결하는 생생한 실용이 되어야 합니다. 집 짓는 설계도와 실제 집은 서로 다릅니다. 설계도를 아무리 자세히 그려도 그것으로는 돼지우리 하나 생기지 않습니다.

인공세계어의 설계도를 만든 사람은 셀 수 없이 많았지만, 라자로 루도비코 자멘호프, 단 한 사람만 실제 세계어를 만들어 냈고, 그 세계어는 실제로 세상 사람들의 실생활 속에 살아, 움직이고, 성장하였습니다. 이를 위해 자멘호프는 진짜 고심과 노력을 많이 했습니다. 그 한 사람에게만 행운이 찾아온 것은 아닙니다. 오히려, 그는 여러 불리한 조건을 가지고 있었습니다. 첫째로 그는 사람들이 멸시하고 미워하는 유대인 출신이고, 둘째로 언론과 출판, 집회의 자유가 적은 제정 러시아의 압정 하에 있었고, 셋째로 영국이나 프랑스처럼 세계의 근대 문화 중심에 살지도 않았습니다. 이러한 모든 불리한 조건을 극복하고서, 에스페란토를 세계 사람들의 실생활 속에 살아 숨 쉬게 한 것에서 그의 특징을 보아야 합니다. 대개 다른 사람들은 자신이 생각해 낸 문법과 단어집을 글로 적어 이를 세계어라고 이름 짓고는, 자멘호프처럼 장기간 실제 사용해 보지 않고서, 다만 몇 개의 예문만 제시하면서 바로 이것이 편리하고 뛰어난 언어니 이 언어를 사용하라며, 효과적이라면서 선전 문구를 붙여 발표합니다. 그런 언어 시안들은 설계 구조상 아직 설계 언어의 성질조차 갖추지 못한 경우가 많고, 다만 기호를 이리저리 모았다든지, 외우기 어렵다든지 해서 실용엔 도움이 되지 않아, 발표와 동시에 잊혀 버리게 됩니다. 겨우 언어다운 모양새를 유지해도 “세계어”라는 이름 속에 그 “세계성”과 “국제성”은 조금도 찾아볼 수 없습니다. 이 세계에 그런 언어를 실생활에 적용하는 사람이 한 사람도 없지만 이름만 “세계어”, “국제어”라고 붙여진 것 같습니다. 이름만 세계어라고 붙여서, 그것으로 세계어가 된다면 이처럼 간단한 일은 없을 겁니다. 이 험한 세상에 응석을 부리는 생각으로는 안 됩니다. 이 험한 세상과 진실하게 대면해야 합니다. 이 험한 세상에서 어떻게라도 동의를 얻는 방법, 아니 동의하지 않고서도 받아들이는 방법, 받아들이지 않고도 사용하는 방법에 대해 자멘호프는 고심하며 연구했습니다.

“…사람들은 말할 것입니다. ‘당신이 만든 언어를 온 세계가 받아들이는 그때에는 내게도 편리하고 도움이 될 것이다. 그러니 세계가 그것을 채용할 때까지 나는 당신의 언어를 채용할 수가 없다.’라고, 그렇지만 그 “온 세계"라는 것은 한 사람 한 사람이 없으면 성립하지 않습니다. 세계가 채용한다거나 채용 안 한다거나 하는 것과는 관계없이 한 사람 한 사람이 이를 채용하지 않고서 세계어는 성립하지 않습니다. 채용하지 않고서 이용하는 방법은……"

그런 관점에서 우선 그가 생각하고 해결한 것은 다음의 문제입니다.

(1) 이 언어는 사람들이 놀이 삼아 배울 수 있을 정도로 매우 쉬워야 한다.

(2) 이 언어를 배운 사람은, 세계가 이를 채용하여 많은 사용자가 있든지에 상관없이, 다만 이를 각국의 사람들과 상호 이해를 위해 이용이 가능하도록 해야 한다. 그러려면 이 언어는 처음부터 그 언어구조에서도 국제 통신의 실제 수단이 되어 도움이 되도록 해야 한다.

(3) 세상의 냉담함을 이겨내려면 조속히 대중 속에 이 언어가 살아 있는 언어가 될 방법을 발견해야만 한다.

놀이 삼아 배울 수 있다

이 (1)번 문제에 대해 라자로는 소년 시절부터 고심하여 연구한 고안이 그 대답이 되었습니다. "놀이 삼아 배울 수 있도록"이라는 것입니다.

이것은 언어 본질에 접근한 실로 재미있는 생각입니다. 원래 인류 언어의 발달사를 보면 언어란 신체 노동을 가볍게 하려고 존재하는 것입니다. 그래서 신체 노동이 무거운(강제, 억지) 성질이 있는 반면에, 언어는 신체 노동의 수고를 조절하여, 그 신체 노동을 가볍게(부드럽게, 약하게) 하는 활동이라고 할 수 있습니다. 유아가 말을 기억하는 단계에서도, 직접 배고픔과 졸음의 욕구를 호소하는 울음소리가 아니라, 여가 때의 놀이에서 나오는 웃음소리를 통해 그 말의 요소가 발달해 나아갑니다. 인공어는 정신적, 스포츠의 성질이 있습니다. 언어의 본질과 발생은 노동입니다만, 언어는 일반 노동을 가볍게 하고, 효과를 크게 하는 특별한 조절 조직의 노동인 것입니다.

다음 (2)번 문제에 대해서는 이 언어를 아직 모르는 사람에게도 이 언어를 배워 사용하게 하는 것입니다. 어떻게 하면 그것이 가능할까요?

원래, 언어의 실제 사용에는 이 언어로 이야기한다거나 글을 쓴다거나 하는 능동적 작용의 단계와 이 언어로 말하는 것을 듣거나 독서로 이해하는 수동적 작용의 단계가 있습니다. 이야기하거나 글을 쓰는 일은 완전히 이 언어를 알지 않으면 안 되지만, 책을 읽거나 이해하는 수동적 작용은 이 말을 완전히 알지 못하더라도 대략의 성질을 파악하게 되면, 모르는 낱말은 사전을 찾아서 보고 무엇인가 이해가 됩니다. 보통 자연어에서는 언어구조나 성질이 대체로 불규칙적이고 복잡하여, 사전을 찾는다 하더라도, 관습적으로 왜곡된 형태와 숨겨진 뜻이 있어, 이렇게 수동적 작용으로 책 읽기조차 꽤 어렵습니다.

자멘호프의 인공국제어는 이런 불규칙과 관습으로 인한 약속이 없기에, 아주 간단히 이 언어구조에 대한 설명과 기본 사전만 있으면, 이 언어를 처음 대하는 사람도 이 언어를 쉽게 풀이해 낼 수 있다는 점이 특색입니다. 모르는 사람과 편지를 서로 주고받는 경우라면, 그 편지에 이 간단한 구조에 대한 설명과 기본 사전을 하나의 작은 "도입부"로 정리해, 이를 상대방이 아는 언어로 설명된 "열쇠"로 동봉해 보내면, 그 상대방은 이 국제어를 배운 적이 없어도, 또 이 언어에 냉담한 사람이나 설사 반대하는 사람이라 하더라도 그 받은 편지를 이해할 수 있을 것입니다.

결국, 이것은 언어의 관습 용법과 문법 규칙을 정리하고 풀어 낱말로 구성한 것입니다. 이것은 재미있는 생각이고 본질적인 의미를 지닙니다. 그것은 '나'의 생각을 논리적으로 원소로 분해해 보여, 상대방의 생각까지도 원소로 분해하든지, 또는 종합하게 하든지 하는 식으로 인도하면, 그 의미가 자연히 통하게 됩니다. 반대자의 생각도 이것을 원소로 분해하면, 찬성자와 같은 힘의 원소가 있음을 발견하게 됩니다.

사람들의 마음을 여는 열쇠

생각이 다른 상대방을 원소로 분해하여 '내' 편으로 용해해 끌어들이는 방법을 생각했던 것입니다. 이렇게 하면 근대 교육을 받은 사람이면 누구나 모두 에스페란티스토가 될 수 있습니다. 에스페란토는 사람이 밖에서 머리 안으로 쏟아붓는 것이 아니라, 그 사람의 마음을 작은 "열쇠"로 열어, 잠자고 있는 힘과 정신의 원자력을 개발하게 합니다. "에스페란토의 열쇠"는 무언가 일상의 필요에 대응하여 그 사고방식을 이성적으로 분해하고, 음미하고, 종합하도록 조절하게 해 줍니다. 앎과 모름, 좋음과 싫음에 관계없이 이 열쇠를 가지면 완고하던 사고방식도 분해됩니다.

근대문화가 저 어둡고 완고한 중세 문화를 부순 것은, 뭐든 좋아하고 찬성하고 난 뒤에 이루어진 것이 아니라, 그 문화 속으로 점점 파고 들어가, 단단해 있는 힘을 분해해내었기 때문입니다. 라자로는 그 비밀을 파악하여 확신을 얻었습니다. 다른 사람이 찬성하든지 반대하든지 상관하지 않고 대중 속에 잠자고 있는 힘을 깨운다는 확신 속에 이 운동을 이끌 결심을 했습니다.

(2) 안과의사

개업

1885년 1월 라자로는 의과대학을 졸업하고 의사로 개업할 수 있는 면허장을 받았습니다. 그는 하루라도 빨리 국제어를 보급하는 일에 착수하려면 우선 생활을 안정시켜야 한다고 생각해, 여동생 화니가 결혼해 사는 수르부크 읍(리투아니아)의 '베이세이에' 라는 작은 마을에 가서 개업했습니다. 이곳은 상당히 시골이라 의사라면 어떤 종류의 질병에 걸린 환자라도 진료해야 했습니다. 라자로는 신경이 과민인 성격이라 "전과의 의료진료"와 같은 일을 상당히 정신적으로 괴로워했습니다. 환자가 순조롭게 낫지 않으면, 또 치료가 생각처럼 안 되면 마치 자신의 책임처럼 느끼고 고민했습니다. 환자가 죽는다든지 하면 완전히 자신의 진료나 처방이 나빠 그런가 보다 하고 느끼며, 매우 마음이 아팠습니다.

어느 날 밤, 인근의 플록 마을에서 부유한 노부인이 병이 들었습니다. 라자로는 진료에 입회해 달라는 요청을 받았습니다. 이미 다른 의사 3명도 왕진을 와서 있었습니다. 그 노부인의 병세는 악화하여 거의 절망적인 상태였습니다. 그 왕진이 있는 다음날, 환자는 결국 죽게 되었습니다. 그 부유한 집에서는 4명의 의사에게 왕진에 따른 진료비를 상당히 많이 주었습니다. 그러나 의사 자멘호프만 이를 받지 않았습니다. 환자가 죽어버렸는데 어떻게 돈을 받을 것인가 하고 생각했던 것입니다. '베이세이에'에서는 어느 날 죽어가는 어린 여자아이를 왕진한 적이 있습니다. 높은 열 때문에 도저히 처방을 내릴 수 없었습니다. 그 뒤, 그 아이의 가엾은 어머니는 거의 미쳐 버려, 그 아이가 죽고 나서 몇 개월이 지나도 아직 어머니가 울고 있다는 이야기를 들었습니다. 라자로는 한숨을 쉬고 "나는 정말 모든 과목 진료는 할 수 없구나, 뭔가 내게 맞는 과목을 골라 보자."라고 생각하고는, 안과 전문의사가 되어 진료할 결심을 했습니다.

전과의를 그만둔다

이윽고 라자로는 '베이세이에' 마을에서의 4개월의 개업을 마무리하고, 바르샤바에 돌아와 바르샤바대학병원 안과에서 6개월간 근무했습니다. 그리고서 안과의가 아직 없는 '플록' 마을로 가서 5개월 정도 실제로 진료를 해 보았습니다만, 좀 더 연구하지 않으면 안 됨을 느끼고, 1886년 5월 오스트리아의 빈대학에 가서 그곳에서 몇 달간 안과 특별강의를 듣고, 실습

연구를 한 뒤, 그해 말에 바르샤바로 돌아왔습니다. 그리고 아버지의 집에서 안과의를 개업했습니다.

한편, 라자로는 대학을 졸업하자 곧, 자신이 발명한 세계어를 세상에 내고 싶은 생각으로 원고도 이제 완성했습니다. 의사 개업도 생활을 안정시킨 뒤, 세계어 운동을 꾸준히 진행하고 싶었기 때문입니다.

『에스페란토 박사 지음 **국제어** 서론과 함께 학습 전서』라는 표제도 썼습니다.

에스페란토 박사란 라자로가 이때부터 사용한 필명으로, "희망하는 사람"이라는 의미입니다.

이 이름이 처음엔 저자를 나타내는 것이었지만, 차츰 '국제어 에스페란토', '에스페란토어', 또는 그냥 '에스페란토'라고 부르고, 나중에는 지은이보다도 그 언어 자체를 가리키는 것으로 쓰이게 되었습니다.

자멘호프도 처음엔 편지에 항상 자신의 이름이라는 의미로 '에스페란토 박사' 또는 '에스페란토'라고 서명하고 있었습니다만, 이 이름이 자신보다도 언어의 이름으로 되도록 일반에게 알리고 나서는, 혼란을 피하려고 자신의 필명으로 쓰는 일은 그만두고, 서명할 때는 자멘호프라고 쓰게 되었습니다.

자멘호프라는 이름

자멘호프라고 하는 가족 명은, 조부 대(代)부터의 역사적 관습으로 Samenhof 라고 쓰이고 있습니다만, 라자로는 에스페란토어에서는 엄밀한 표음주의식 표기법을 취해 자신 이름도 표음 방식으로 Zamenhof라고 씁니다.

라자로 자멘호프라는 이름은, 비알리스토크의 유대인 회당 기록에는 훼이웰 자멘호프(바비안 자멘호프)의 아들 마르카(마르크스)와, 소렘 소웰의 딸 리바(로잘리아) 부부 사이에서 1859년 12월 3일(옛 러시아력) 비알리스토크 마을에서 남아로 출생, 이름을 러이젤(라자로)이라고 지었다고 합니다.

이 출생은 비알리스토크 마을의 유대인 출생등록부, 1859년도 제47호 제1부 출생 아동 칸에 기재, 서명과 관인으로 이를 입증한다고 쓰여 있습니다. 그 후 바르샤바 중학과 모스크바 대학의 공식 서류와 의사 면허장 등에는, '러이젤 자멘호프' 또는 '라자로 자멘호프'라고 쓰여 있습니다. 라자로가 스스로 쓴 서명에는, '라자로 마르코와치'라고 러시아풍의 부칭(父稱)을 쓰고 있습니다. 러시아식 아버지, 러시아식 학교였기에 친한 사이에서는 '마르코와치'라고 불린 적도 많았던 것이겠지요. 그는 에스페란토 박사라는 필명으로 국제어를 발표한 뒤, 사람들이 본명을 묻자 "라자로 루도비코 자멘호프입니다."라고 대답했습니다. 유럽 사람들은 라자로보다 오히려 루도비코로 부르는 편이 많았습니다. 그편이 왠지 존경의 뜻을 담고, 라자로라는 이름에는 유대인 냄새가 강하고, 어딘지 경칭을 버리고 이름, 성만을 부르는 느낌이 있었던 것입니다. 유대 방식을 거의 좋아하지 않던 아비지는 루도비코라고 불렀을지도 모릅니다. 뒤에 쓰인 많은 기사와 전기와 기념비 등에서는 루도비코가 많고, 라자로라고 쓰인 것은 적습니다만, 특히 본 저자는 지금까지 타인 의식을 없애고 친근한 마음을 나타내려고 실례를 무릅쓰고 지금까지 라자로라고 부르고 있습니다.

'라자로 마르코와치(극히 드물게 라자로 모디레와치) 루도비코 자멘호프'라고 여러 호칭 방법에 각각 부르는 이의 기분 차이가 나타나는 것 같습니다. 그것을 마음에 두고 나는 그분을 여러 가지로 불러봅니다.

에스페란토

라자로 마르코와치 자멘호프는 왜 자신을 "희망하는 사람"이라고 필명을 사용했는지에 대해 누구도 설명을 들은 적이 없는 것 같습니다. 아름다운 모습으로 의미도 밝게 느껴지므로, 사람들은 이 이름을 좋게 받아들이고 "이 언어가 전 세계에 보급되는 것을 희망한다."라는 의미라든가 "인류가 행복하기를 희망하는 사람"이라든가 등으로 적극적으로 해석하고 있습니다.

어쨌든 라자로는 "희망"이라는 말을 매우 좋아해, 평소에도 "노동과 희망, 미래는 우리의 것입니다!"라고 입버릇처럼 말해 왔습니다. 그의 시에도 자주 "희망"이라는 낱말이 나옵니다. 그것은 라자로가 고민 속에, 힘든 생활 속에 있었기에, 그로부터 자유롭게 되고 싶은 희망이 항상 마음속에 있음을 나타내고 있습니다. 그는 어릴 때부터 소년 시절을 걸쳐, 여전히 종교적 안개가 자욱한 분위기 속에서 자라, 헤브라이즘적 정열로 자유 세계를 실현하기를 원하는 마음이 깊이 배여 있었던 것 같습니다. 뒤에 그가 쓴 "희망"이라는 찬가는 어딘지 모르게 성경에서 다윗의 시편을 생각나게 합니다. 그에게 있어 에스페란토는 자기 마음의 괴로움을 해결해 주는 것이었습니다. 그것은 하늘나라 "신(神)"의 생각을 지상에 가져와, 인간 공동의 활동 뒤에 인정해 주는 것입니다. 지상의 괴로움을 진정 해결하려면 아직이고 지금부터입니다. 그의 "희망하는 사람"이라는 이름에는 어딘지 모르게 구도자의 향기가 납니다.

(3) 결혼 그리고 『제1서』의 발행

경쟁자 볼라퓌크(Volapűk)

1885년 완성한 『국제어』 원고를 빨리 세상에 내고 싶은 라자로는 출판사를 찾기 시작했습니다만, 먼저 실제 생활의 어려움에 직면했습니다. 금전 문제로 -이 문제는 그가 평생 싸우지 않으면 안 되었습니다- 2년간 출판자를 찾아다녔으나 어디에서도 만날 수 없고, 겨우 출판자를 하나 찾아서는, 반년간 열심히 부탁해도 결국 거절당하고 말았습니다.

이렇게 오랜 고심의 노력인 이 작품은 세상에 나올 수도 없고 애가 타 어쩔 줄 모르고 있는 사이에, 한편 라자로보다도 늦게 시작했지만 빨리 완성한 독일의 슐라이어[19]라는 사람이 만든 볼라퓌크(Volapük)라는 세계어가 조금씩 각국에 보급되었습니다. 슐라이어는 독일 콘스탄츠(Konstanz)에 사는 가톨릭교 신부로 <시온의 하프>(Sionsharfe)라고 하는 종교문학 잡지를 내고 있었고, 벌써 나이도 들어 세상에 이름이

19) *역주: 독일의 로마 가톨릭교회 사제인 요한 마르틴 슐라이어(Johann Martin Schleyer:1831-1912)가 1879년 구상한 언어 볼라퓌크.

알려진 사람입니다. 그는 40개국의 언어를 배운 적이 있고 1878년경, 이웃의 노파가 아메리카의 친척에게 보낸 편지가 그 친척에게 배달되지 못한 채 되돌아온 것에 착안하여 각국 공통의 개량 알파벳을 고안하고, 이어 각국 공통의 기호어(記號語)를 연구했습니다. 1879년 봄 어느 날 밤, 잠을 자지 않고 있는데, 문득 신의 계시가 있어, 좋은 생각이 떠올라, 흥분과 감격으로 그 밤에 단숨에 새로운 세계어 문법을 완성했다고 합니다. 이 언어는 암호, 비밀어, 공동기호 언어의 성질, 이야기 말의 성질이 섞여 있고, 한 사람의 머릿속에서 생각된 규칙을 획일적이고 융통성이 없이 적용하게 만드는 형식이었고, 지금 세상에 쓰이는 언어에서 법칙과 재료를 충분히 참작한 것은 아닙니다. 그것은 논리와 경험으로 잘 시험하여 닦은 것이 아니라, 외우기도 어렵고 발음도 어려워, 실제 정말 사용할 수 없었던 것입니다.

그러나 어쨌든 갑자기 각국의 교통이 발달하여, 각국 사이에 공통된 언어의 필요성이 갑자기 높아지던 때이기에, <시온의 하프>를 읽는 독자도 꽤 많아, 세계적으로 유명한 사람이 발명한 세계어 볼라퓌크가 일간 신문에서도 화려하게 소개되었습니다. 그리고 금세 많은 사람의 주의를 끌어 독일, 오스트리아, 헝가리, 폴란드, 스웨덴 등지에서 이 언어를 배우는 사람들이 나타나고, 이윽고 프랑스, 아메리카, 일본 등에도 알려져 갔습니다. 1881년에는 기관지를 발행하였고, 3년 후인 1884년에는 프리드리히스하펜(Friedrichshafen)에서 대회를 열었고, 1889년에는 파리의 학교에 이 언어 강좌가 개최될 정도로 세력을 얻게 되었습니다. 그해 볼라퓌크의 교사 자격

증을 가진 사람의 수효가 328명이나 되었습니다. 라자로도 이 사실을 알고, 만일 이 언어가 정말 좋은 것이라면 자신이 오랫동안 꿈꾸어 온 이상이 이것으로 실현되기에 좋은 일이라고 생각하고 빨리 이 언어를 연구해 보았습니다. 그러나 편리하다고 본 이 언어를 주의해 관찰해보니, 한 사람의 머리에서 마음대로 생각해 낸 방식이고, 급히 만드는 바람에 결점이 크게 눈에 띄어 실제 사용에 무리가 많음을 파악했습니다. 이것이 그렇게 급히 보급되어 간 것은 국제어의 필요가 그 정도로 강하게 느낀 시절이라 그랬던 것이었다. 무리가 많은 볼라퓌크는 필시 이 언어의 모든 관계자를 실망에 빠뜨릴 거로 생각했습니다.

그렇게 되면 세상은 이제 인공세계어에 대해서 얼마든지 좋은 것이 나와도 받아들이지 않게 될 것입니다. 그렇게 되면 인류에게 큰 손해입니다. 세상 사람들이 인공세계어 전체에 부정적 관심을 가지기 전에 에스페란토를 발표함으로써, 사람들의 바른 판단에 호소하여, 이 중요한 문제에 사람들이 바르게 협력할 수 있도록 하는 생각으로 라자로의 마음은 매우 불안했습니다. 그러나, 금전적 비용이 들기에 생각대로 쉽게 진전되지는 못했습니다. 이 일로 인해 라자로는 매일 매우 고심했습니다.

클라라와 결혼

당시 바르샤바에서 자멘호프 가문과 친하게 왕래하던 유대인 레위디라고 하는 가족이 있었습니다. 라자로는 자주 그 집을 방문하였는데, 그곳에서 클라라[20] 라는 아가씨를 만났습니다. 레위디 가족의 안주인의 여동생 클라라가 자멘호프와 동향인 리투아니아의 카우나스(Kaŭno) 도시에 살고 있었습니다. 클라라는 여학교를 졸업하고 세상 견문을 넓히려고 이곳 저곳의 친척을 방문하고 있던 때였습니다. 그 이름처럼 밝고 아름다운 아가씨였습니다. 명랑하였으나, 가난하지 않던 그 아가씨의 주위에는 그녀 마음에 들어보려고 애를 쓰는 사람도 적지 않았습니다. 그러나 클라라의 마음은 왠지 생각에 잠겨 있는 가난한 의사 라자로에게 가 있었습니다. 라자로는 상냥한 마음으로 말을 건네는 클라라에게, 오랜 기간 자신이 가지고 있던 인류를 위한 고민, 사람들 사이의 차별 대우와 몰이해에 대한 깊은 분노, 인류에 대한 강한 애정, 생활의 괴로운 심정, 세계어에 대한 이상, 에스페란토 출판의 어려움 등을 털어놓았습니다. 그런 대화를 통해 깊이 감동한 클라라는 아버지로부터 받을 수 있는 돈을 모두 그가 관심을 가지는 일에 쓰고 싶었습니다. 그 두 사람의 삶은 드높은 이상으로 연결되었습니다. 클라라는 자신들의 진심을 아버지에게 말씀을 드렸습니다. 클라라의 아버지는 속이 트인 남자였습니다. 아버지는 알렉산드로 질베르니크[21]라는 이름을 갖고 있었고, 카우나스 도시에서 소규모 비누 공장을 경영하고 있었습니다. 가난한 생활에서 분투해서 노력하여 가난을 극복하고 9명의 자식을 키웠고, 나이를 먹어도 만년까지 공장에 나와 자신도 근로자와 함께 일했다고 합니다.

---

20) *역주: Klara Silbernik(1863-1924).
21) *역주: Aleksandro (Sender) Lejbovich Silbernik.

딸 클라라가 라자로를 사랑한다고 들었을 때, 아버지는 매우 감동했습니다. 자신은 학문하지 못해, 생계를 위해서만 매일 돈을 벌면서 이 세상을 위해 뭔가 도움이 되고자 했습니다. 자신은 하고 싶어도 할 수 없는 학문에, 욕심을 떠나 열심히 몰두하는 라자로 같은 인물을 도와야겠다고 생각했습니다. 그래서 라자로와 클라라 그 두 사람의 애정을 매우 기뻐하고 그해 여름 결혼식을 하도록 허락했습니다. 게다가 딸 클라라에게 라자로가 준비한 에스페란토를 세상에 내놓는 일에 도움이 될 정도의 지참금을 주었습니다.

그 뒤에도 15년에 걸쳐, 무슨 일이 있을 때마다 장인은 사위 라자로의 어려운 생활을 도왔습니다. 지식인은 아니어도 근면한 실업가로 이제 예순을 넘긴 나이지만, 귀여운 사위가 발명한 에스페란토를 혼자서 배우고 익혀, 완전히 기억할 정도로 열성이었습니다.

클라라의 다른 형제도 곧 에스페란토를 배우고, 그중 한 사람은 아메리카에 이민 가, 그곳에서 에스페란토 분야에 오랫동안 대표자로서 활동하였습니다.

루비콘강

라자로는 장인 질베르니크 씨 덕분에 에스페란토의 『제1서』를 자비 출판할 수 있었습니다. 라자로의 마음도 기뻤습니다. "… 나는 루비콘강 둑에 서서 생각했습니다. 이 작은 책이 나오면 그 날부터 이제 나는 뒤에서 이끌 수는 없습니다. 대중에게는 지식을 가진 의사의 몸으로, 대중에게 공상가라

보여 '남의 일'에나 신경 쓰는 사람이라는 평을 받으면 어떤 운명이 될 것인가 알고 있습니다. 나의 가족생활이나 지금부터의 안정이 이것으로 최후 수단에 걸려 있다고 생각했습니다. 그러나 나의 온몸에 꽉 찬 이 세계어 생각을 버릴 수 없습니다. …나는 루비콘강을 건넜던 것입니다."

라고 라자로는 그때 자신의 기분을 루비콘강의 둑에 서서 목숨을 걸고 로마를 향한 진군을 결행한 카이사르[22]의 마음에 비유했습니다.

나의 심장이여, 두근두근 걱정하지 마라. 이 가슴에서 뛰쳐 달아나지 마라. 이제 나는 가만히 즐길 수 없다.	Ho, mia kor', ne batu maltrankvile, El mia brusto nun ne saltu for! Jam teni min ne povas mi facile,
아! 나의 심장이여! 나의 심장이여, 긴 고생 끝에 마지막 순간에 나는 이기지 못할 것인가? 충분해! 격정적 두근거림아, 조용히 해 다오. 나의 심장이여!	Ho, mia kor'! Ho, mia kor'! post longa laborado Ĉu mi ne venkos en decida hor'? Sufiĉe! trankviliĝu de l'batado. Ho, mia kor'!
	(『제1서』, 문장의 예, 제3)

바로 출판 준비를 시작했습니다. 그러나 당시 폴란드에서 출판은 꽤 번거로웠습니다. 우선 인쇄에 앞서 러시아 검열관으

22) *역주: 고대 로마의 정치가.

로부터 허가증을 한 번 받아야 하고, 그 뒤, 근처 뒷골목에 있는 볼품 없는 켈렐 인쇄소에 의뢰해, 예정본 1권을 들고 가, 다시 한번 발행허가증을 받아서 판매해야 했습니다.
다행스럽게도 바르샤바의 러시아 검열관은 자멘호프의 아버지와 아는 사람이었으므로 비교적 순조롭게 허가해 주었습니다. 어린애 같은 놀이 정도로 생각했던 것이지요. 5월 21일 검열도 마치고 근처의 켈렐 인쇄소에 인쇄를 부탁했습니다. 발행허가증은 그로부터 2개월간 검열관으로부터 유보를 당한 뒤 겨우 7월 14일[23)]에 발급되었습니다.

세계어라고 부르는 것만으로는 안 된다

이날 에스페란토는 세상에 태어난 것입니다. 이것이 "『에스페란토 제1서』" 라고 부르는 것이고, 오늘날 136판보다 조금 큰, 40페이지 분량의 얇은 책이었습니다. 표지에 "세계어를 표방하려면 그렇게 부르는 것만으로는 안 된다."라고 첨가하고, 그 책의 정가는 15꼬펙이었습니다.

"…이 작은 책을 보시면서 독자 여러분은, 대부분 속은 듯한 기분으로 절대 실현될 수 없는 유토피아를 제안한다는 선입관을 가지고 손에 들고 있을 것입니다. 그래서 무엇보다 우선 독자 여리분께 그런 선입관을 버리고, 여기에 제가 제안해 놓은 문제를 진지하고 또 비판적으로 생각해 볼 것을 제안합니다…"

---

23) *역주 : 러시아력에 따름. 양력 7월 26일. 오늘날 에스페란토계는 7월 26일을 에스페란토 반포일로 기념하고 있습니다.

라고 썼습니다. 또 수년 동안 고심한 국제어 문제에 대한 자신의 의견을 조리 있게 설명해 나갔습니다.

"사람들은, 여러 언어를 배우는데 자신의 시간을 많이 씀에도 불구하고, 그중 하나도 제대로 잘 사용하기 어렵고 그 때문에 자신의 모어(母語)까지도 완전하게 구사하지 못하는 것 같습니다. 그러니까, 해당 언어도 충분히 연마하지 않은 채 우리는 자신의 모어로 이야기하면서 외국말과 표현방법을 빌려 쓰게 됩니다. 그렇지 않으면 자신이 하는 말이 불완전해 자신의 의도를 정확하게 표현하지 못하게 되어, 사고방식도 불완전하게 되는 경향이 있습니다. 만일 우리가 모두 단 한 개의 언어만 갈고 닦는다면 사정이 완전히 바뀔 것입니다. 그렇게 되면 언어 자체가 좀 더 잘 갈무리되어, 또 완전해져, 언어가 지금 눈앞에 있는 형태보다 훨씬 더 높은 수준이 될 것입니다…"

라고 주목하는 의견을 실었습니다.

실제, 우리는 언어생활에 있어 상당히 엉뚱한 생각을 부지불식간에 하고 있습니다. 외래어와 유행어를 많이 빌린다든지, 외국어 투로 이야기하는 것을 좋게 생각하고 싶지만, 그것이 우리 생활과 마음에 꼭 맞는 방식은 아닙니다. 현재 각 나라의 국어가, 실은, 아직 발달 도중에 있어 불완전한 면이 있고, 무리한 부분도 또한 있어, 사람들의 생각이 자신이 알지 못하는 사이에 왜곡 당하니, 이해함에서는 큰 차이가 있음을 발견합니다.

국제어를 채용하거나, 사용함은 국어 발달에도 도움이 되고, 특히 자신이 알지 못하는 사이에 왜곡된 사고방식을 반성하여 올바른 길을 열 수 있겠구나 하고 느끼게 됩니다.

에스페란토는 처음부터 숨 쉬고 있었다

이것은 라자로가, 인류 사회를 정지 상태가 아니라 역사적으로 계속 발달, 진화하는 것에 포착하여, 언어 또한 발달 진화하지 않으면 안 되는 것이며, 그 진화는 단지 겉만 벼락치기식으로 빌려 오는 물건이 되어선 안 되며, 근본적인 발달이 필요하다고 말하고 있습니다. 사회 발전 문제를 언어 관점에서 보는 것입니다. 그러나 이 점을 라자로는 어렴풋이 직감하여 상식에 호소하고는, 언어 형태의 개혁에 적극적인 관심을 기울였습니다. 그것에 관련하여 그 밑바탕인 언어 내용을 구성하는 사회의 변화, 사상의 변천 연구에는 충분히 철저한 힘을 쓸 수 없어, 다만 그것을 암시하는 데 그쳤습니다. 그리고 라자로는 자신이 제안하는 언어 형태에 대해 우선 결론을 제시하고는, 이 언어를 실제 사용자들이 생각과 노력을 넓고 깊게 하여, 풍부해지도록 닦아 나가 보자는 태도로 임했습니다.

"…오랫동안 노력한 이 열매를 독자 세계의 판단에 맡기고자 합니다."

라고 <서문>의 제1절을 끝맺고 있습니다.

제2절에서는 이 언어를 고안할 때 고심한 언어의 구성과 사람들의 관념을 분해하는 일을 예문을 들어 설명하고, 다른 언어에서 그것이 가능한 이유를 설명했습니다. 제3절에서는 이 언어의 대중적 지지를 확보할 목적으로, 일종의 일반투표를 제안했습니다. 이 언어는, 학습하지 않은 사람에겐 당연한 말

씀이지만, 스스로 이 언어를 공부하고, 스스로 이 언어로 이야기하고 쓰고 하는 사람이 나오는 것이 필요합니다. 독자라면 그의 설명을 읽고 잘 생각해 보면, 국제어가 독자 자신에게 이익이 된다는 결론을 스스로 얻어낼 수 있습니다. 그러나, 다수의 사람이 아직 이 언어에 대해 모르면, 혼자서 이 언어를 배우겠다고 마음을 정하는 학습자는 적을 것입니다. 그래서 "일천 만 명의 사람이 배우겠다고 약속하면 나도 학습한다."라고 하는 서명을 모았습니다. 국제어에 반대하는 사람은 "반대"라고 쓰라고 하거나, 또 찬성의 수효와 관계없이 이 언어를 빨리 배우고 싶은 사람은 "무조건"이라고 쓰도록 요청했습니다. 그리고 서론의 끝에.

"제가 제안하는 이 언어가 완전하며, 이보다 높은 단계, 더 적절한 것은 결코 있을 수 없다는 말씀은 드리지 않습니다. 그러나 나는 국제어에 필요한 조건을 전부 충족시키려고 최선을 다했습니다. 하지만 나는 한 사람의 인간일 뿐입니다. 나는 이 언어에서 뭔가 실수를 했을지도 모릅니다. 용서할 수 없는 과실을 범하는 수도 있겠지요. 언어로써 상당히 중요한 것을 못 본 채 빠뜨리고 있는 것도 있을 겁니다. 이런 이유에서 나는 사전 발간이나 잡지, 서적 등의 발간을 손수 다루기 전에, 나의 저작물을 보시고, 1년간 대중의 의견을 살펴, 교양 있는 모든 사람이 제가 제안하는 이 언어에 의견을 보내주시기를 부탁드립니다.

…제게 보내주신 의견 중 이 언어의 기본 성질을 손상하지 않는 한, 실제 유익한 점이 있다면 이에 감사하며, 이를 활용할 것입니다." 라고 썼습니다.

라자로의 태도는 이보다 앞서 볼라퓌크를 발표한 슐라이어의 태도와 비교하면 크게 다릅니다. 볼라퓌크는 언어 형태가 불확실한 것뿐만 아니라, 발명자 슐라이어는 자신이 발표한 세계어에 대한 지배적 권한을 언제나 자기 손안에 넣고 놓으려 하지 않았기에, 모든 이들의 협력을 통한 언어발달이란 이루어질 수 없었고, 학습자 사이의 내분이 일어나, 결국 볼라퓌크 운동은 무너져 버리고 말았습니다.

에스페란토 『제1서』의 학습 전서에는 6개 항의 문법, 915개 낱말 사전으로 구성되어 있습니다. '문장의 예시' 부는 짧은 문장들로 구성된 여섯 편의 예문입니다. 그것은 "주기도문"과, 성서의 창세기 처음의 몇 구절, 편지의 한 예문, 하이네의 번역 시 1편과 라자로 자신의 원작 에스페란토 시 2편으로 구성되어 있습니다. 정말 얄팍한 작은 책자입니다만, 라자로가 마음을 기울여 만든 것입니다. '문장의 예시'에 들어 있는 하나하나가 그냥 어학 연습용의 문장이 아니라, 진지한 그의 마음가짐이 그 속에 들어 있습니다. 그중 편지의 한 문장 예시를 보면, 다음과 같습니다.

"친애하는 친구에게!

나는 친구가 이 편지를 받고, 어떤 표정일까 하고 생각해 봅니다. 친구가 내 서명을 보고 놀랄지도 모르겠습니다. 아, 이 친구가 머리가 제정신인가? 무슨 글자로 쓴 것인가? 편지에 붙은 이 종이는 또 무엇을 의미하고 있는가? 하고 말입니다. 그러나 안심하세요. 나의 머리는 조금도 이상하지 않고 내 정신은 온전히 맑습니다. 나는 며칠 전에 『국제어』라는 이름의 작은 책을 한 권 읽었습니다. 그 책의 저자는 이 언어로 전 세계의 사람들과 서로 소통, 이해할 수 있다고 믿게 해주었습니다. 이 편지를 받은 이가, 이 언어를 알지 못해도, 비록 이에 대해 들어 본 일조차 없어도, 그냥 이 편지에 "단어장"이라는 작은 종이를 동봉하면, 편지를 받은 상대방도 이해할 수 있다는 것입니다. 그래서 그게 정말 가능한지 어떤지 알고 싶은 생각에 나는 친구에게 이 언어로 편지를 씁니다. 우리가 서로 이 언어로 소통이 되는지 어떤지를 말입니다. 하지만. 나는 한 마디도 다른 언어를 사용하지 않았습니다. 내가 쓴 것을 실제로 친구가 이해할 수 있었는지, 아닌지를 답장으로 알려주세요. 만일 저자가 제안한 이 언어가 실제로 좋으면, 힘껏 지지해 주세요. 친구가 내게 편지를 보내, 그 편지가 도착하면 내가 이 소책자를 보내주겠습니다. 그러면, 친구는 친구가 사는 도시 주민들에게 보여주세요. 친구가 사는 마을 옆의 다른 마을에도, 또 당신의 친구와 주변의 도시와 마을에도 보여주세요. 매우 많은 수효의 사람이 투표하는 것이 필요합니다. 그렇게 하면 정말 짧은 시일에 인류 사회에 큰 이익을 가져다줄 일이 결정될 겁니다."

이 소책자에 있는 약간의 문장 예시 중 절반은 시였습니다.

"이 언어를 만들 당시의 사정을 알지 못하는 독자에겐, 괴상하게 들릴지도 모르겠습니다…" 라고 라자로가 뒷날 '추억의 편지'에서 언급하고 있지만, 이러한 시는 꿈과 고민이 얽힌 첫사랑과 같은 정열의 호흡이었습니다. 에스페란토는 첫걸음부터 시를 통해 세상에 나타난 것입니다. 작지만 그것은 살아 숨 쉬고 있었습니다. 그것은 어김없이 정확하게 살아 있었던 것입니다.

세상에서 멀리 떨어진 들판에
한여름의 밤이 다가올 때면
모임의 소녀는 즐거이
희망의 노래를 부르네.
애절하게도 깨져 버린 인생을
이야기하네.-
내 상처가 다시 돋아나
피로 물들어 나를 아프게 하네.
…………
내 가슴속 타오르는 불꽃을
간직한 채 살아가길 나는 원하네.
뭔가 나를 끝없이 밀쳐도,
내가 즐거워하는 친구들에게 가면…
나의 노력과 수고가
내 운명에 맞지 않으면,
바로 죽음으로 오라,
희망 속에 고통 없이 가리라!

(나의 생각)

Sur la kampo, for de l'mondo,
Antaŭ nokto de somero,
Amikino en la rondo
Kantas kanton pri l'espero,
Kaj pri vivo detruita
Ŝi rakontas kompatante,-
Mia vundo refrapita
Min doloras resangante.
………
Fajron sentas mi interne,
Vivi ankaŭ mi deziras,-
Io pelas min eterne,
Se mi al gajuloj iras…
Se ne plaĉas al la sorto
Mia peno kaj laboro-
Venu tuj al mi al morto,
En espero-sen doloro!

(Mia Penso)

(4) 세계어 성장의 어려움

반향

양력 7월 26일[24]에 책으로 나온 『제1서』(러시아어판)를 라

24) *역주: 러시아력 7월 14일

자로는 곳곳의 신문사, 잡지사에 보내 비평을 구하고, 또 바르샤바의 이스트민 서점을 대형 판매처로 하여 발매했습니다. 발송 작업에는 약혼한 클라라가, 우체국으로 운반은 쾌활하고 명랑한 남동생 펠릭소(Felikso)가 몸을 아끼지 않고 거들었습니다. 그리고 그해 양력 8월 9일, 라자로와 클라라는 결혼식을 올렸습니다. 그리고 푸지야스 가 9번지에 새 가정을 꾸몄습니다.

『제1서』는 폴란드어판(러시아력 8월 25일 발행허가)이 나오고, 프랑스어판, 독일어판(러시아력 11월 12일 허가)이 출판되어 발매되고, 영어판은 조금 늦게, 자멘호프의 번역본, 휘릭프스의 번역본, 개오하간의 번역본 등이 나오게 되었습니다.[25)]

『에스페란토 박사 지음, 국제어』의 소개기사와 비평이 곳곳의 신문에 실리기 시작했습니다. 바르샤바의 일간지 "크라엘 고제니"의 8월 7일자에 "안티 볼라퓌크"라는 제목으로 서평이 최초로 나왔고, 그 서평을 쓴 기자는 에스페란토의 우수한 점을 인정하고 있었습니다. 또 볼라퓌크를 연구하고 있던 폴란드인 그라보브스키(Antoni Grabowski)라고 하는 젊은 화학 기사는 재빨리 그 에스페란토 책자를 사 읽고는 이 언어를 활용해 보니 이 언어구조의 우수성과 활용성을 파악하고 난 뒤, 자멘호프를 방문했습니다. 자멘호프는 매우 기뻐서, 이 쾌활하고 재능있는 손님을 맞게 되었습니다. 이 두 사람 사이에 이 언어로 처음, 인사와 회화로 의사소통을 했습니다. 유연하고도 즐거이 감격에 차서 이 언어는 생생하게 사용되기 시작

25) 『국제어 에스페란토』는 2021년 이영구·장정렬 두 교수의 번역으로 진달래출판사에서 보완하여 새롭게 재출간

했습니다.

그라보브스키는 자멘호프를 방문하기 이전에, 볼라퓌크를 배운 뒤 볼라퓌크의 창안자 슐라이어를 방문했던 적도 있었습니다. 그때 이 신부는 자신이 발명한 볼라퓌크로 자유롭게 이야기할 수 없었다고 합니다. 그 두 사람은 독일어로 의사소통을 했다고 합니다. 그라보브스키는 처음 만난 자멘호프에게 깊은 친근감을 느꼈습니다. 그는 금세 러시아 문학가 푸시킨의 시 "눈보라"를 에스페란토로 번역하였습니다. 그는 이를 시초로, 수많은 시를 번역하고, 자신도 시를 짓고 문장도 짓고 어학과 문학에 뛰어난 재능을 발휘하였고, 자멘호프와 친교 하여 에스페란토사업에 크게 공헌했습니다.

웃을 놈은 웃어라

멋진 세상의 바람은, 그러나, 산들바람만 있었던 것은 아니었습니다. 오히려 심술궂은 것이 보통 세상입니다. 어떤 신문은 자멘호프의 에스페란토 일을 쓴 다음에

"…세계의 도둑들은 지금이야말로 국제적 목적에, 이 새로운 상호 이해수단을 활용할 수 있을 것이다…"

라고 이유를 덧붙였습니다. 이 신문의 심술궂은 문구를 본 페테르부르크의 강직한 신학생 돔브로바스키는 자멘호프에게 엽서를 보내 그 책을 주문하였습니다. 그리고 일주일 뒤에는 하나도 틀리지 않게 이 언어로 자멘호프에게 편지를 써 보냈습니다.

"…일천만 명이 지지하는 것을 기다리지 않고 나는 빨리

에스페란토를 배워 그것을 사용하기 시작했습니다."

이 청년은 나중에 뛰어난 에스페란티스토가 되어 신문에 논문을 쓰기도 하고, 에스페란토로 시집과 수학 교재를 내고, 에스페란토사업에 상당히 공헌하고 "리투아니아 문학선집" 발간에도 협력했습니다. 바르샤바의 젊은 법대생이었던 레오 벨몬트(Leo Belmont)는 그때 일기에 이런 것을 쓰고 있습니다.

"1887년 7월 14일

… 대학에서의 경찰법 강의는 필기하지 않았습니다. (교수가 늦게 와 따분하다) 나는 지금 완전히 다른 열광자가 되어 매우 바빠 있습니다. 그것은 무엇인가? 에스페란토 박사의 국제어입니다… W 군과 길을 가면서 에스페란토 박사가 지은 책을 진열대에서 보았습니다. 서로 얼굴을 보고 웃었습니다. 웃으면서 상점에 들어가 웃으면서 책을 샀습니다. 웃으면서 점원도 책을 주었습니다. 그렇지만 이제는 웃지 않습니다. 지금 나는 이 놀랄만한 사람이 하는 이 일이 좋아졌습니다. 그의 열렬한 정열이 마음에 들었습니다. 웃을 놈은 웃어라!"

"9월 27일. 중대한 일을 빠트리고 썼습니다. 나는 에스페란토 박사, 그분을 알게 되었습니다. 차분하고 조용한 성품에, 대머리에 야위고 자그마한 인물. 가냘픈 체격, 근면한 개미 같은 정신, 최초 잠깐은 머리의 움직임이 둔하게 보여도, 기지가 있고, 그 속에 그분에게는 특별한 능력이 있음을 알았습니다. 나는 그분 일의 승리와 큰 미래를 꿰뚫어 보았습니다……"

이 22세의 젊은 대학생은 어느새 하이네(Heine)의 시 "가슴에, 나의 가슴에"를 에스페란토로 번역했다. 그는 후에 유명한 논설가, 작가가 되어 『자유의 언어』라는 잡지를 내었습니다. 그러나 그는 탄압을 받아 5년이나 투옥을 당하면서 100권이나 되는 책을 내고, 에스페란토 원작 시집과 논문도 많이 내었습니다. 이처럼 『제1서』의 반향은 활발하게 모였습니다. 그러나 그것은 세상 유력자들이 아니라, 나중에 훌륭한 사람이 된 순진한 젊은 사람들이 중심이 되었습니다. 다음 해 1888년, 자멘호프는 『제2서』를 출간했습니다.

"…나의 일에 대해 독자 여러분이 보여주신 생생한 공감에 우선 제일 먼저 감사드립니다. 제가 받았던 많은 <약속> 쪽지 대부분은 <무조건> 학습하겠다고 쓰여 있었습니다. 격려와 조언의 편지 등, 이 모두가 인류에 대한 나의 깊은 신뢰가 헛된 일이 아님을 증명하고 있습니다.

인류의 창조적 영혼이 눈을 뜬 것입니다. 만인의 사업에는, 모든 방면에서, 대개 새로운 것에는 무엇에도 흔들리지 않는, 충실한 대중이 참여해 왔습니다.

남녀노소 매우 친절하게, 더 없이 유용한 건설을 위해, 제각기 자신의 돌을 운반하기에 바쁩니다.

인류여 번영하라. 사람들의 우애여, 만세 영원히, 살아 번영하라!" 하고 그는 큰 기쁨을 나타내고 있습니다.

빠른 실용

이제 『제2서』는 『제1서』에 대해 각 방면에서 모여진 질문과 비평과 요구에 답한 것입니다만, 전부 에스페란토 문장으로 써진 최초의 것입니다. 그것은 에스페란토의 실제 사용 연구에도 도움이 되게 하려는 의미였습니다. 정말 세계어의 실체는 설계도가 아니라, 빠른 실행, 사용에 있어야 했습니다. 『제2서』는 분책해서 내고, 1년간 완결할 방침이었는데, 이를 완성했을 때,

"…독자에게 불명확한 곳은 없애고, 우리 사회는 지금, 충분하게 갈무리된 현대어를 사용함과 마찬가지로, 이 언어를 자유자재로 사용할 수 있을 것입니다. 이 언어가 제 개인 또는 다른 개인, 또는 한 개인의 의지와 능력에 의지함은 멀지 않아 끝날 것입니다.

…나는 거듭 부탁드립니다. 내가 제출한 것을 되도록 비판해 주십시오. 나의 실수를 발견하여 알려주세요. 좀 더 좋은 의견을 내어 주세요…"

라고 그는 반복했습니다.

그러나 세상의 소리는 당치 않은 것도 많았습니다. 신문 잡지와 편지에 나타난 사람들의 의견은, 어떤 사람은 국제어 문제를 냉정하게 이해하지 않고 그냥 무조건 경박하게 저자 자멘호프를 칭찬하는 사람이 있는가 하면, 무턱대고 헐뜯고 비난하는 사람도 있습니다. 그 비난하는 쪽도 학자인 것 같은 위세를 부리며, 이 저자가 학문이 없다며, 유명하지 않다며, 단어가 산스크리트어에서 가져와야 한다며, 발음 법칙은 어떠해야 한다며, 현대어의 문법구조는 이렇다저렇다 하며 현대어 문법은 이렇다며, 설교뿐이었습니다. 더구나 『제1서』의 설명문을 제대로 읽지 않고, 잘못 해석해서 "꼼꼼히 읽지 않고 대충 훑어보고는" 읽기가 어렵다는 말도 있었습니다. 그 가운데에는 문제를 진지하게 다루지 않고, 무의미하게 바꾼다든지

놀린다든지 그런 것들도 있었습니다. 세상의 독자는 대개 스스로 판단하지 않고, 남의 말만 믿고 바보스러운 것이라고 치부해 버리게 됩니다. 당시 민족적, 배타주의 기풍이 강해서 국제적이라 하면 의심과 불신과 경멸의 마음을 일반 사람은 가지던 정세였으므로, 더욱이 이러한 상태에서 에스페란토를 키워내는 일은 정말 어려운 일이었습니다.

비판은 혹독할수록 감사하다

자멘호프는 썼습니다.

"…비평하시는 분들은 이 저자, 또 국제어 문제를 혼동하지 않기를 부탁드립니다. 나는 학식이 깊은 전문 언어학자가 아니고, 또 유명하지도 않고, 또한 공로도 없는 사람이니, 있는 그대로 여러분께 말씀드립니다."

"…나는 칭찬받고 싶은 생각은 없습니다. 내가 만들어 놓았을지도 모를 잘못을 없애려고, 또 나에게 힘을 북돋아 주고 싶을 뿐입니다. 나의 언어가 비판을 많이 받으면 받을수록 나는 고마울 따름입니다. 그냥 그것이 무의미하게 우스운 일이라서가 아니라, 또 이유 없이 욕이나 하는 것이 아니라, 내가 그것을 개선하려는 한편, 내 잘못을 지적해 주는 것으로만 이를 받아들이겠습니다. …"

"한 사람의 작품은, 예를 들면, 그 사람이 나보다도 상당히 학식 있는 천재라 하더라도 잘못이 없다고는 말할 수 없음을 나는 잘 알고 있습니다.

그래서 나는 또 나의 언어에 최종 형태를 부여하지 않았습니다. 나는 <자, 여기에 이 언어가 만들어져 있고, 완성되어 있고, 또 이렇게 하고 싶고, 또. 이렇게 해야 하고, 또 언제까지나 이런 형태로 있어야 한다> 고는 말하지 않겠습니다.

모든 선의의 바램은 세상의 조언에 따라 순조롭게 될 것입니다. 나는 이 언어를 만든 주인이 아니라, 단순한 제안자로 생각되고 싶습니다."

라고 말하고, 자멘호프는 사회 대중의 비판과 협력에 호소했던 것입니다. 그리고 그는 자신이 받아 본 모든 의견과 그 자신의 판단을 대중의 심판에 내어놓는다는 방침을 취했습니다. 그리고 만일 유력한 학술 단체에서 이 일을 떠맡아 준다면, 그 단체에 심사해, 판정하는 일을 일임해서, 완전히 자신이 가진 재료도 이 단체에 넘겨주고, "…나는 더 큰 기쁨으로, 무대에서 영원히 내려와, 저자 또는 제창자의 역할에서 벗어나, 다른 사람들과 같이, 국제어를 쓰는 한 사람의 친구가 되겠습니다. 만일 어느 학술 단체에서도 이 일을 맡아줄 사람이 없으면, 나는 주변에 보내오는 제안을 계속 발표해, 그것에 대한 내 생각과 대중 의견에 따라, 나 자신은 올해가 다 가기 전에 이 언어의 최종 형태를 결정하면, 이 언어는 더욱 완성된 모습을 갖출 것이고, 그것을 발표할 것입니다.

그때 이 언어는 완전히 작은 문제까지 자세히 공들여 완성될 것입니다. 저자 개인은 완전히 무대에서 물러나 잊힐 것입니다. 그 후 내가 살아있어도 또는 죽더라도, 나의 꿈과 마음이 힘을 계속 가지든 또는 기력이 없어도, 이 사업은 마치 현대어의 운명이 이 사람 저 사람 개인의 운명과 관계가 없는 것처럼 완전히 무관하게 발전해 갈 것입니다…"

라고 설명했습니다.

자신을 잊게 하려는 노력

이처럼 자멘호프는 인류 사회가 가지고 있는 능력과 정신을 완전히 믿었습니다. 그의 노력은, 그가 없어도 인류가 눈떠서, 스스로 일을 잘해 나갈 수 있도록 하기 위한 수고에 있었습니다. 자신이 유명하게 되어 기억되려는 것이 아니라, 자신이 잊힌 채 무명인이 되기를 위해 노력했습니다. 자식을 키우는 부모 미음은 아이가 빨리 자라 성인이 되면, 이젠 부모의 도움은 필요 없게 되도록 하는 바람입니다. 마침 그때 북아메리카 필라델피아에 있는 아메리카 학술협회가 국제어 문제에 대단한 주목을 보이고, 힘을 써 왔습니다. 이 학술협회는 1743년 프랭클린과 여러 아메리카 유력한 학자들이 창립해, 학술을 발전시키고, 유익한 발명과 발견을 소개, 보급을 돕는 단체였습니다. 이 협회는 국제어 문제의 특별위원회를 설립하여 1887년 10월 볼라퓌크의 과학적 가치를 검토했습니다. 그때 이 위원회는 아직 자멘호프의 『제1서』를 보지 않았지만, 그 결론은, 자멘호프의 의견과 마찬가지로, 볼라퓌크가 불완전함을 나타내고, 완전한 국제어로서 가져야 하는 성질에 대한 그 발표 요점이 거의 에스페란토와 일치했습니다. 그 위원회가 논리적으로 명백히 언급한 것은, 자멘호프가 이미 실제 에스페란토로 나타낸 것이었습니다. 그리고 이 학술협회는 전 세계의 유력 학회와 학자에게 호소하여, 이러한 결론의 입장에 서서, 국제어를 정할 회의를 열려고 제안했습니다. 그러고서 그 위원회는『에스페란토 박사 저, 국제어』책자를 입수해서 검토해 보고는, 이것이 제일 간단하고 합리적 해결이라고 인정했습니다. 그 위원회 위원의 한사람 후릭프스는 이것을 연구하여, 이 책자『에스페란토 제1서』를 영어로 번역하고, 영어-에스페란토 사전을 첨부해 발표했습니다. 자멘호프는 이 학술협회가 소집하는 국제어 문제와 국제회의 계획을 알고 "나의 바람이 쓸데없지는 않았구나"하고 기뻐하고는, 에스페란토를 이 회의에 제출하여 비판과 연구를 기대하며, 최종 결정을 해주도록 했습니다. 그리고 자멘호프는『제2서의 추가』라는 제목으로 책을 펴내 그동안의 사정을 알렸습니다.

"…이 소책자는 내가 저자 자격으로 이야기하는 최후의 의견입니다. 지금부터 국제어 장래는, 이 신성한 사상의 친구인 여러분 각자의 손안에 있기에, 나의 손안에 더는 없습니다. 지금 우리는 모두 평등하게 각자의 힘으로 움직이지 않으면 안 됩니다. 여러분 중에 누구나 모두, 나와 같은 정도로, 이 사업을 위해 전력할 수 있습니다. 여러분 중에 많은 사람은 나보다도 훨씬 많은 일을 할 수 있습니다…

나는 이 사업을 위해 가능한 일을 지금까지 해 왔습니다. 국제어의 진실한 친구인 여러분 각자가 지금까지 내가 1~2년간 정신적, 물질적으로 바쳐온 희생의 100분의 1씩만 애를 써 주신다면, 이 사업은 매우 잘 진행되어 극히 짧은 기간에 우리의 목표에 도달할 것입니다. 우리는 일하고 희망합시다!"

라고 외치며, 지금까지 모인 모든 질문에 대답하고, 국제어 사업을 위한 각자의 활동방법에 대해 친절한 안내문을 써 보내면서 말을 이어 갔습니다. 만일 유력 학자들의 회의에 결정을 맡긴다고 하더라도, 그 회의가 실현되지 않을지도 모르고, 또는 실현된다 해도 실제 결과를 얻지 못할 경우도 있기에, 국제어의 친구 스스로는 앞으로 있을 학자들의 회의에 주목해, 자신의 일손을 늦추거나 쉬면 오히려 중대한 사업을 영원히 잃어버릴 수도 있으므로 어떤 경우에도 지금까지 취해온 길을 벗어나면 안 됩니다. 또 근면하게 계속 활동하지 않으면 안 됩니다. 또 만일 그 학자들의 회의가 실현되지 않으면, 우리 스스로 회의를 열어 결정하지 않으면 안 됩니다."

라고 기술했습니다.

국제어 사업에 유익한 일을 하려면 어떤 일을 하면 좋을지 묻는 많은 사람의 물음에 다음과 같이 답을 했습니다.

"모두, 스스로 자신이 제일 좋다고 인정하는 방법으로 일하시면 됩니다. 이 사업의 운명은 역시 여러분의 손안에 있기 때문입니다.… 국제어 친구들의 수효, 이 언어 사용자의 수효, 이 언어를 위해 일하는 사람의 수효를 늘리는 것입니다. 그것에는 인솔자가 필요 없기에, 개인, 집단, 단체가 각각 입장에 따라 좋다고 생각하는 일을 실천하는 것이 필요합니다… 이 언어를 위한 작품을 짓는 저술뿐만 아니라, 이 언어로 저술하는 것을 늘여 나가는 것이 필요합니다…"

"이 언어로 원작 문학과 번역 문학을 많이 만들어 가는 것은 이 언어를 강하게, 또 풍부하게 하기에 필요합니다…

라고 친절하게 용의주도한 마음 씀씀이를 쓰고 있습니다. 자멘호프의 이 충고가 유익했음은 곧 확실해졌습니다. 기대하고 있던 학자들의 회의는 실현되지 않았습니다. 아메리카 학술협회의 호소에 대해 답한 단체는 덴마크 과학박사원, 스코틀랜드 에든버러 대학, 아메리카 과학진흥협회, 프랑스 동물협회, 런던 학술협회의 5개 단체뿐이고, 그중에 런던 학술협회는 '반대'라고 전해 왔습니다. 그래서 국제어 평가 회의는 성립되지 않았습니다. 볼라퓌크 편의 방해가 있었던 것도 사실입니다만, 일반사회는 이 문제에 대해서 이해도 적었다고 하고, 결정권도 없었던 것입니다. 그러나 아메리카 학술협회의 국제어 평가 회원이었던 고고학자이자 문헌학자인 휘릭프스는 열성 에스페란티스토가 되었습니다.

자멘호프는 훗날 그때를 회상하면서 "그때 나는 아직 그 평가회의 성격을 잘 몰라 생각이 짧았다"라고 말하고 있습니다만 그는 사회를 신뢰하고 대중에게 기대하고 있었습니다. 빨리 에스페란토를 사회의 것이 되도록 하고 싶다고, 언제나 염원하고 있었습니다. 그러나 사회와 일반 대중에게 완전히 맡기고 기다리면 그 문제는 언제까지나 해결되지 않음도 알고 있었습니다. 그런 자각을 가진 사람들이 항상 책임을 갖고, 언어를 닦는 것을 계속하고, 질을 높이기 위해 계속 움직이지 않으면 안 되는 것을 절실히 느꼈던 것입니다. 그래서, 그는 끈질기게 지지자들, 국제어 친구들에게 편지 연락을 계속했습니다.

그때 지지자의 대부분은 러시아 제국령 내의 각처에 사는 여러 민족 사람이었습니다. 자멘호프는 빨리 국제어 잡지를 내고 싶다고 생각하여 러시아 제국 정부에 청원서를 내었습니다만 허가를 받지는 못했습니다. 그때 정부는 잡지와 도서 발행허가를 잘 해주지 않고 엄중한 검열의 눈을 반짝이고 있었으므로 진보적인 일엔 전혀 좋아하지 않았습니다. 잡지도 내지 못하고, 단체 조직도 허락되지 않아, 자멘호프는 자신이 받은 편지에 노력하여 꼭 답장을 내었습니다만, 우편물이 늦는다든지, 때로는 도중에서 없어진다든지, 의외의 불편과 어려움이 일어났습니다. 사소한 일에도 걱정이 많던 시대였습니다만, 그 정도로 지지자들은 세상의 불합리를 없애고, 인류 우애를 진전시켜 세계 행복을 실현하려는 기세로 정열을 가지고 버텼던 것입니다.

그 가운데 국외에서 반응이 들려 왔습니다. 독일 뉘른베르크의 세계어회에서 활동하던 레오폴드 아인슈타인이 에스페란토를 지지한 사실입니다. 그는 유능한 논설 기자로, 일찍부터 세계어에 주목하여 볼라퓌크를 연구하고, 세계어 문제에 200개의 기사와 논문을 쓰기도 하고, 강연하기도 하여 이것을 보급하는 일에 노력하고 있었습니다. 뉘른베르크의 세계어회는 볼라퓌크 운동에서 제일 유력한 단체였고, 아인시타인은 그 가운데서 제일 유능한 활동가였습니다. 그는 『에스페란토 박사 지음, 국제어』를 읽고는 볼라퓌크가 가진 한계점을 알고, 에스페란토의 우수한 점을 인정하지 않을 수 없었던 것입니다. 그는 볼라퓌크 세계어회에서 그 의견을 정정당당하게 발표하였고, 큰 반대에 부딪혔지만, 상당한 논전 끝에 반대론을 완전히 누르고, 그 회원 70명과 함께 에스페란토사업에 힘을 북돋아 주게 되었습니다.

이것이 세계 최초의 에스페란토 단체였습니다. 1888년 12월의 일입니다. 이는 에스페란토사업에 큰 힘이 되었습니다.

뉘른베르크는 서독일에서 중요한 중공업의 한 중심지로 진취의 기운이 돌고 있는 곳이었습니다. 여기에서 잡지 발행도 진행할 수 있었습니다. 재빨리 자멘호프는 뉘른베르크 세계어 회와 상담을 진행하여, 에스페란토 최초의 기관지를 내게 되었습니다.

표제는 『라 에스페란티스토(La Esperantisto)』(에스페란토의 친구를 위한 잡지)로 하였고, 에스페란토 박사(자멘호프)의 협력 아래 뉘른베르크 세계어 회장 슈미트를 편집인으로, 월간으로- 제1호를 1889년 9월 1일자 8페이지짜리- 작은 신문 형태로 발간했습니다. 그 제1면에 자멘호프는 쓰고 있습니다.

"…국제어에 대해 나는 입법자이고자 하는 생각은 없습니다. 나는 다만 토대를 놓았을 뿐입니다…

국제어의 어법을 정할 수 있는 이는 '논리'와 '능력'과 '대다수 의견'에 있습니다. 이 언어는 내 개인의 동의 여부와 별개로, 대다수 의견이 결정하는 대로 시행해야 합니다. 세계어 문제는 큰 의의가 있습니다. 우리의 신성한 목적이 달성되면, 우리 세계는 영원히 인류의 역사에 빛날 것입니다. 우리 사업이 실현되면, 인류는 좀 더 대담하고도 고대하던 꿈을 실현하는 겁니다."

그리고 볼라퓌크의 불완전한 점을 상세하게 비판한 긴 논문을 실었습니다.

자멘호프는 매우 기뻐서 이 최초의 잡지에 활기찬 시(詩)도 실었습니다.

“<라 에스페란티스토>지(誌)에게”

Al “La Esperantisto”

좋은 때! 신호가 들려왔다.
우리 마음은 용기가 샘솟는다.
자, 가자! 행동을 개시하자.
좋은 별 아래 행복한 때다.

En bona hor'! Ni aŭdis la signalon
Kaj bataleme saltas nia koro.
Konduku nin, komencu la batalon
Sub bona stelo, en feliĉa horo!

가까운 친구도 먼 곳의 친구도
저, 우리의 밝은 별에 인사하자.
자, 가자, 주저 말고 무서워 말고
크고 신성하며 빛나는 목적을 향해.

Amikoj de proksime, malproksime,
Salutas vin, ho nia luma stelo!
Konduku nin, senhalte kaj sentime,
Al nia granda, sankta, glora celo!

그리 쉽지 않은 우리 길에는
상당한 고통도 따를 것이다.
그렇지만 큰 기쁨으로 싸우며,
중단없이 희망으로 일하세.

Ne tre facila estos nia vojo
Kaj ne malmulte ankaŭ ni suferos;
Sed batalante, kun plej granda ĝojo.
Senhalte ni laboros kaj esperos.

처음의 장애는 이제 뛰어넘었다.
맨 처음의 장벽은 돌파했다.
우리의 보상은 반드시 달콤하리.
목적에 도달할 그때야말로!

For estas jam la baroj de l'komenco,
L'unua muro estas trarompita,
Kaj dolĉa estos nia rekompenco,
Kiam la celo estos alvenita.

(5) 끈질기고 강한 인내, 희망을 품고

기관지

자멘호프는 이제 기관지를 통해 이전의 자기 생각을 대중의 의견과 힘을 모아 에스페란토를 키워 나갈 수 있게 되었습니다. 그 기쁨과 기세는 컸지만, 제1호 구독자는 불과 113명이었습니다. 그러나 제12호의 <표>에는 불가리아, 영국, 독일, 프랑스, 스페인, 폴란드, 북아메리카 등에서도 지지자가 나오게 되어, 자멘호프는 그들로부터 많은 의견과 질문을 받았습니다. 이 질문들에 단지 혼자 답하면 개인 의견에 그칠 우려가 있기에, 이 사업이 공동의 자주적 운영과 재정 기초를 만들어 발전하려고 에스페란토 연맹이라는 조직을 만들자고 제안했습니다. 그러나 아직 정세가 안정되지 않았기에 모두 이 문제를 냉정하게 생각할 수 없었고, 이때는 완성할 수가 없었습니다.

이 잡지는 제1호에서 제3호까지는 에스페란토 문장 외에 프랑스어, 독일어로도 번역이 실렸습니다만, 제4호부터는 에스페란토만 실리도록 편집했습니다. 당시 아직 연락이나 의견 교환이 충분하게 원활하지 않던 국제어 운동에 에스페란토의 실용능력을 시험하고 이를 실제 증명하는 의미에서 그렇게 했습니다. 그렇지만, 역시 세계어의 실체는 문법서나 사전, 선전문 등의 설계도와 설명서에 있지 않고, 가령 작다고 해도, 약하다고 해도, 실제 사용에 있음을, 실제 활용에 있음을 알게 하는 근본적 파악 방법을 제시했습니다. 또한, 자멘호프는 이 잡지에 열심히 투고해 준 국제어 운동 선구자들의 원고를 주의 깊게 참작하면서 문체의 통일을 이루었습니다. 이 투고자 가운데 유능한 에스페란토 작가가 커 가고 있었습니다.

에스페란토 문학의 시작

이 작은 잡지는 에스페란토 운동의 연락과 소식 전달과 언어 형태의 연구와 토론에도 도움을 주었지만, 에스페란토 문학을 육성하여 키운 공로는 특히 크다고 할 수 있습니다.

"처음 에스페란티스토가 에스페란토를 사랑한 것은 그것이 인간의 몸과 두뇌에 가까워서가 아니라 마음에 더 가깝기 때문이었다."

고 자멘호프는 말했습니다.

인공국제어 사업에 대한 세상의 생각은 아무튼 상업과 여행과 기술 방면에 도움을 주는 기계적 도구처럼 생각해 인간의 사소한 감정을 적절히 표현할 수 있을까 하는 점에 있는 것 같았습니다. 자멘호프는 큰 사전과 안내서를 출간하면서, 먼저 민족 문학의 번역 작업을 끈질기게 계속했습니다. 좀 더 쉬운 언어를 발명한 자멘호프는 이것을 좀 더 어려운 것에 적용해 쓰지 않으면 안 된다며 초기의 에스페란티스토를 격려하고 있습니다.

그는 어떤 사람이 "이것은 번역 못 할 것이다"라고 보내온 찰스 디킨스의 『생활의 투쟁』을 곧 번역해, 이를 이 잡지에 연재하였습니다. 셰익스피어의 『햄릿』도 빨리 번역하게 되었습니다.

한편 그때 국제어 운동은 아직 시작 단계이었기에, 많은 사람이 각각 서로 다른 호감과 의견과 개정안을 끊임없이 제시했습니다. 자멘호프는 그것들을 자신이 단독으로 결정할 수 없다고 생각하여 하나하나씩 잡지에 발표하여, 모든 의견을 모았습니다. 그리고 1894년 이 기관지의 전 독자에게 에스페란토 연맹을 조직하여, 그 조직에 소속된 전 회원이 일반투표를 통해 여러 개정안 중에서 선택하자고 제안했습니다. 그 결과, 절대다수가 지금까지 있어 온 그대로의 에스페란토를 변함없이 지지한다고 의견을 밝혔습니다. 자멘호프는 무슨 일이나 일방적으로 생각하여 결정하지 않고, 많은 사람의 의견을 존중하여 그 사람들의 지식과 힘을 모아 사업을 진행하고자 고심하고 노력했습니다. 이것은 쉬운 일은 아니었습니다. 사람의 입장과 의견은 매우 다양하지만, 크게 보면 국제어의 형태를 주로 생각하는 사람들과 그 문화의 내용에 중점을 둔 사람들로 나눌 수 있었습니다.

형태와 내용의 논쟁

근대문화가 발달한 지방에서는 형태에 마음을 두는 이들이 많고, 문화가 늦고 사회적으로 억압을 당한 입장의 사람들은 언어 형태보다도 이 운동의 의의와 내용, 사람들의 단결에 중점을 두는 경향이 나타났습니다. 형태를 주로 생각하는 사람들은 이 언어를 일상의 간편 기술로 취급하여, 각자의 기호에 따라 바꾸고 싶다는 생각을 보였고, 내용에 중점을 둔 사람들은 이 언어를 생활 문제로 취급하여 인간 생활 전체를 행복하게 하여 자유로운 세상을 실현하는 노력의 한 걸음으로 받아들였습니다. 이 사람들은 개인의 호감을 제시하는 주장만 하면 끝이 없으므로, 단결하여 사회적 문화 운동으로 이끌어가지 않으면 안 된다고 느꼈던 것입니다.

투표 결과는, 자기 개인의 호불호에 따라 언어 형태를 바꾸고 싶다고 생각한 사람들이 패배하여, 에스페란토 운동은 안정을 이루었습니다. 그러나, 진 사람들 가운데 얼마는 이때 이 언어 운동에서 떨어져 갔습니다. 대체로 이쪽은 볼라퓌크에서 온 사람들이 많았습니다. 이 사람들은, 이 언어를 생활 문화의 내용과는 일단 분리한, 편의상 기술이라 생각하고 있었으므로, 불행한 생활에서 자유로운 사회로 나아가려는 목표를 가진 사람들의 깊고 정열적인 운동의 의의도 이해하지 못했고, 언어가 사회에서의 집단 협력으로 만들어져 진보해 간다는 본질도 이해하지 못했습니다. 이 사람들은 개인의 호불호에 따라 여러 다른 세계어안의 시도에 참여해, 끝없는 세계어 설계도만 만지작거리다가 곧 이를 버립니다. 그러나 한 번 더 깊게 언어의 본질을 이해하고서 훌륭한 에스페란티스토가 된 사람들도 많습니다. 그라보브스키(Antoni Grabowski), 돔브로브스키, 자크리에브스키, 게다가 일본의 오카 아사지로(丘淺次郎)[26]박사 등이 그 예입니다.

이 개정 논쟁의 시기는 굉장히 어렵고 곤란한 시기였습니다. 거의 어린 아기를 키우는 것 같아, 바깥의 바람을 맞거나, 늘 영양분을 공급해야 하기에, 감기 걸리지 않도록 하고, 소화 불량도 일으키지 않도록 세심한 마음 씀씀이가 필요합니다. 이 위험한 시기를 무사히 극복하고, 에스페란토가 튼튼하

---

26) *역주: 오카 아사지로(1868-1944)는 일본 동물학자. 국제 보조어에도 관심을 기울이고 있으며, 볼라퓨크를 배운 후, 독일 유학 중 1891년 에스페란토(1887년 발표된)를 알게 되었고, 일본인 최초의 에스페란티스토가 되었다. 1906년에는 구로이타 가쓰미와 함께 일본 에스페란토 협회(현재의 일본에스페란토학회의 전신)를 설립했다.(위키피디아에서)

게 자랄 수 있었던 것은 자멘호프가 일찍 시험 번역한『햄릿』이 매우 도움이 되었다고, 당시 에스페란티스토는 말하고 있습니다. 그러나 이 개정 논쟁이 끝남과 동시에, 독일의 동료 중 많은 수효가 떨어져 갔으므로, 자멘호프는 자신의 가난한 경제력으로 <라 에스페란티스토>지를 꾸려 나가지 않으면 안 되었습니다.

그때 (1894년) 러시아의 유명한 대중적 지지도를 가진 출판사인, 톨스토이 작품을 많이 출판하던 "포스레드니크(결합)"사가 에스페란토에 흥미를 갖고, 자멘호프의 잡지 문예란에 협력했습니다. 자멘호프는 소년 시절부터 이 위대한 러시아 대작가의 작품을 좋아하며, 열심히 읽고, 그의 인생관에도 어딘가 깊이 공감하고 있었습니다.

톨스토이

그리고 또 자멘호프는『제1서』를 레오 톨스토이에게 1권 보냈습니다만, 답장을 받지 못해, 그분에게서 잊혔구나 하고 생각하고, 톨스토이가 매우 유명하고 훌륭한 사람이므로, 그분에게 직접 편지를 보내는 일도 기가 죽어 그대로 있었습니다.

그런데 1894년이 되어, "포스레드니크"사의 주편집인이 톨스토이에게 에스페란토에 대한 의견을 요청하자, 톨스토이는

"…7년 전에 에스페란토에 관한 문법, 사전, 논문을 받아 보고, 2시간도 채 못 될 정도의 학습으로, 나는 어쨌든 아직 글쓰기는 할 수 없어도 자유로이 읽을 수 있었습니다… 나는 인간이 서로 이해하면서도, 그냥 외면의 장애를 빌미로 서로

미워하는 경우를 자주 보아 왔습니다. 에스페란토의 학습과 보급은 인생의 유일한 주요 목적인 신(神)의 나라를 구축하는 것을 돕는 그리스도교인들의 일임을 의심하지 않습니다." (<야스나야 뽀리아나>에서. 1894년 4월)

"…내가 항상 생각하는 것이지만, 언어 학문, 인류의 더 많은 대중의 연락과 공동을 가능케 하는 학문에는 그리스도교적인 학문 외는 없습니다."

"나는 유럽 공통어(에스페란토)의 학습은 매우 필요하다고 생각합니다. …나는 가능한 이 언어의 보급에 노력하고, 또한 더 중요한 것으로 그 필요성에 대해 모든 사람을 설득하는 일에 노력할 것입니다. (4월 27일 톨스토이)"

라고 썼습니다.

당시 대중에 큰 감화력을 가진 유명 러시아 사상가가 에스페란토에 찬성 의견을 밝힌 것은 매우 큰 도움이 되었습니다. 자멘호프는 이 편지를 <라 에스페란티스토>지에 싣고, 이어 1895년 2월에는 톨스토이의 『신앙과 이성』을 번역하여 실었습니다. 톨스토이와 자멘호프의 인생관에는 일면 상당히 다른 모습이 있었지만, 어딘가 공통점도 있습니다. 어느 쪽이나 근대사회의 발달에 따라 점차 강하게 느끼는 사회의 병폐에 대해 깨어 있는 인간 자유를 향한 열망이 나타났습니다. 한편으로는 민중에 동감하는 기분으로, 한편에는 약소민족의 관점에서 매일 착취당하는 민중 생활의 감정을 대변하고 있습니다.

그것은 어느 쪽이나 뿔뿔이 흩어져 있는 개인의 관점에서 아직 사회를 넓고 깊게 지켜본 것은 아닙니다만, 이 세상을 살아가면서 괴로움과 고민을 절실하고, 강하게 또 깊게 느끼고 있었습니다.

톨스토이는 근대사회의 병폐로부터 자유를 추구하고, 원시로 되돌아가려고 과학과 문명을 인정하지 않는 방향을 향해 나아갔지만, 자멘호프는 문명을 받아들여 좀 더 높은 문명을 구축하려는 경향을 보였습니다. 그러나 세상의 불행한 사람들이 넓게 손을 잡고, 스스로 돕고, 스스로 구하지 않으면 안 된다는 마음을 품은 점에서는 서로 통하고 있습니다. 또 이 사회 병폐의 근본을 아직 잘 몰라, 실제 생활의 괴로움을 해결하려고 하는 것에서도 마음의 고민 해결이라는 단계에 다다른 경향에도 공통점이 느껴집니다. 이러한 사정을 보아, 이 두 인물은 서로 친하게 될 경향을 일찍부터 갖고 있었습니다. 그것은 어느 쪽이나 매우 소극적으로 조심성이 많은 편이었지만, 인민이 억압당하고, 괴로움을 당하는 것에 대한 항의의 성질을 갖고 있었으므로, 러시아 제국의 지배자들은 전부터 눈을 반짝이고 이 쌍방의 지지자들이 서로 가까이하고 협력하는 것을 두려워하여 경계하고 있었습니다.

관헌의 압박

이제 <라 에스페란티스토>지에 톨스토이의 논문이 실린 것을 본 제국의 검열관은 이를 빌미로 에스페란토사업에 불의의 일격을 가했습니다. 그로 인해 이 잡지는 러시아 국내로 반입이 금지되었습니다[27]. 당시 뉘른베르크에서 인쇄, 발행된 잡

27) *주: 제정 러시아의 검열관과 보안경찰의 압박은 초기 에스페란토사업을 상당히 괴롭혔습니다.

지의 독자는 717명으로, 그중 60%가 러시아령 내에 살고 있었습니다. 그래서 이 타격으로 인해 <라 에스페란티스토>는 사실상 발행이 중단되는 처지에 놓이게 되었습니다. 에스페란토 지지자 각자는 연락 수단을 잃고, 오랫동안의 기세도 꺾였으며, 자멘호프에게도 이는 큰 고통이었습니다.

“잡지 발행을 나는 훨씬 일찍 시작했을 것입니다. 허가가 이렇게 어렵지 않았더라면.” (자멘호프의 편지 1889.4.29.)

“자멘호프가 바르샤바를 잠시 비운 사이에 에스페란토를 좋게 생각하지 않는 사람이 고발하는 바람에, 이 지방의 검열과가 <라 에스페란티스토>지 제2호 300부를 압수하여 페테르부르크의 외사검열과로 보냈습니다. -제1호와 기타 서적 32종이 벌써 허가를 받았습니다. 그러니, 제2호도 허가를 받을 것입니다. 진심으로 도와주십시오”

(자멘호프를 대리한, 부인의 필적이 있는 편지, 1889년 12월 1일)

자멘호프는 『제1서』를 자비 출판한 이래, 상당한 금액을 써 왔습니다. 연이어 나온 책의 인쇄출판비, 광고비, 우편료, 책 대금의 미회수 등으로 부인 클라라가 가지고 온 돈은 이제 완전히 써 버렸습니다. 한편 안과의를 개업하고 있습니다만 환자는 매우 적고, 아무 생활의 보탬이 되지 않았습니다.

1888년 6월에는 장남 아담이 태어났습니다. 1889년 중간쯤에 자멘호프는 완전히 빈털터리가 되었습니다. 그래서 장인은 차마 이를 두고 볼 수 없어 얼마를 원조해 주었습니다만, 그것도 정말 임시방편이었습니다.

그해 가을, 자멘호프는 어떻게든지 살아가기 위해, 아직 안과의가 없는 마을로 이사하여 좀 더 나은 수입을 얻으려고 생각했습니다.

빵을 위한 괴로움

젊은 자멘호프 부부로서는 바르샤바를 떠난다는 사실은 살을 에는 괴로움이었지만, 클라라는 잠깐 어린 아담을 데리고, 그로드나 시의 친정에 가 있게 하고, 라자로 혼자 좀 더 수입 전망이 있는 마을을 찾아 떠나야 했습니다. 그 부부에겐 바르샤바가 태어난 고향도 아니고 가정생활을 길게 즐긴 곳도 아니지만, 막상 이 도시를 떠나려고 하자, 절실히 그립고, 유배라도 당한 기분이 들어 슬픈 생각이었습니다. 이때 생활의 고초가 상당 기간 몸에 배어, 클라라도 라자로도 훗날에도 그때 일을 잊을 수가 없습니다.

라자로가 빵을 얻기 위해 우선 가본 곳은 리투아니아의 플레스토입니다. 쓸쓸한 마음은 자연히 고향을 향했습니다. 그렇지만 가서 보니 이 마을은 너무 가난해, 안과만 하는 전문의로는 매우 검소하게 한 가정을 지탱할 정도의 수입조차 기대할 희망이 없음을 알았습니다. 다음에는 제일 그리운 비알리스토크로 가보았습니다. 여기에는 안과 의원이 이전부터 하나 있었습니다만 부모가 오래 살았던 지역이라 몇 가지 편의라도 볼 수 있지 않을까 생각했습니다. 그러나 기대에 못 미쳐 낙심했습니다. 이 분주한 상공업지의 분위기로는 본업인 돈벌이에 마음을 두지 않고, 다른 일에 손을 대는 사람을 사람들은 쳐다보지도 않았습니다. 한동안 여기에 머무르는 사이에 남러시아의 헤르손[28]이라는 곳에 안과 의원이 없다고 알려준 사람이 있었기에, 물에 빠진 사람이 지푸라기라도 잡는다고, 재빨리 헤르손에 사는 지인에게 전보를 쳐보니, 실제 그렇다고 하기에 결심하고 헤르손으로 긴 여행에 나섰습니다.

그런데 마음을 다잡고, 밝은 희망을 안고, 긴 여정을 멀다 않고 도네프르강[29]이 흑해로 흘러 들어가는 하구의 그 마을에 도착해보니, 앞에 받았던 연락이 틀렸음을 알았습니다. 여기에는 이전부터 안과 전문의원을 열고 있는 여의사가 있어, 신규로 개업하는 것은 매우 곤란한 것임을 알았습니다. 그러나 라자로는 이제 더는 방황할 수 없어 여기서 버텨 보기로 했습니다. 이 마을에서의 생활은 자멘호프에게 있어 가혹한 것이었습니다. 한니빠로부스카 거리에 보잘것없는 가구가 붙은 셋방을 찾아내, 하인은 하루 중 단 1~2시간 정도만 고용하였습니다만, 가지고 온 얼마의 돈으로는 한 달밖에 살 수 없었습니다. 게다가 염치가 없어, 이 곤란한 상황을 장인에게도, 아내에게도, 아버지에게도 알리지 못하고, 어쨌든 가능한 한 오래 버티었습니다. 나날의 지출을 막고 절약하여, 난로는 가능한 한 켜지 않고, 주로 식사는 마을의 제일 값싼 식당에 가서 먹고, 그 식사조차 때때로 굶었습니다.

헤르손의 지인들은, 여기서는 공상적인 일은 완전히 접고 진정 성실한 의사가 되지 않으면 빵을 벌 수 없다고 충고했습

28) *역주: 오늘날 우크라이나의 도시.
29) *역주: 드네프르강은 스몰렌스크주의 발다이 구릉지대 남쪽 기슭에서 발원하여 러시아, 벨라루스, 우크라이나를 남쪽과 서쪽으로 2,200 km 흐른 뒤 흑해로 들어가는 강.(위키피디아에서)

니다. 부인과 아이의 일에 끊임없이 마음이 쓰이고, 막 태어난 둘째 아이 소피아의 일을 생각하면 매우 슬퍼, 바싹바싹 입이 타는 하루하루를 보내고 있었습니다. 그러나 자멘호프는 에스페란토에 대한 희망을 절대 버리지 않았습니다.

출산한 아내를 걱정시킬 수 없다고 위로의 말을 편지에 계속 썼습니다. 그런 생활이 5개월 계속되고, 이제 더는 이러지도 저러지도 못하는 상황까지 와 버렸습니다. 그런 가운데 장인이 걱정하기 시작하여, 사위가 생활이 어려움을 알아차리고, 어떻게 해서든지 바르샤바로 한 번 와 보라고 강권했습니다. 생활은 어느 정도 보충해 볼 테니, 그것을 승낙해 달라고 끊임없이 말했습니다. 라자로도 여러 생각을 합쳐 보았습니다. 바르샤바에서는 작은 숫자의 환자가 아직 자신을 기억하고 있고, 에스페란토 쪽도 잡지의 발행 책임을 자신이 책임있게 확실히 하면 다소의 수입은 될지도 모른다고, 장인이 약속하는 보조도 있어 혹은 운이 따를지도 모른다고 생각하여, 드디어 1890년 5월 라자로는 바르샤바에 돌아와, 이전에 있었던 장소에서 멀지 않는 노웨리부끼 가 부친의 집에서 진료를 시작했습니다.

뉘른베르크에서 내고 있던 『라 에스페란티스토』지는, 저 이상에 불타는 활동가 아인슈타인이 유감스럽게도 갑자기 사망하자, 지금까지의 발행책임자 슈미트가 그 발행을 계속할 의지가 없어, 자멘호프 자신이 발행 책임을 떠맡게 되었습니다. 착실하게 하면 손해는 되지 않을 것으로 생각했지만, 실행해 보니 결손뿐이고 보충할 돈이 나올 곳도 없었습니다. 여러 가지 고심한 끝에, 그라보브스키의 제안을 받아들여 에스페란토의 지지자들을 위한 작은 주식회사를 만드는 안을 세우고 외쳐보았습니다만 생각대로 주식을 사주는 사람도 없었습니다.

용기를 내었으나, 정평이 나 있던 라자로 자멘호프도 이젠 잡지를 계속 발행할 수 없게 됨을 지상으로 알리지 않으면 안 되었습니다.

돈 세상

"세상은 첫째도 돈, 둘째도 돈, 셋째도 돈입니다……."

라고 자멘호프는 깊이 탄식의 편지를 썼습니다. 이 주식모집에 관여했고, 도서판매회사 안을 세워, 주식도 자진해 제일 많이 맡아 줄 약속을 한 독일의 트롬피터(Trompeter)라고 하는 지지자는 이번에 『라 에스페란티스토』지 발행을 맡기로 하고, 자멘호프에게 편집료로 매월 50루블씩 지급하는 제안을 해 왔습니다.

이때부터 『라 에스페란티스토』지의 제호는 『에스페란티스토』로 바꾸었습니다. 토롬피터는 별로 부자가 아닌 측량기사로 이 제안은 정말 일 자체에 뜻이 있었던 것입니다. 이때 겨우 러시아 국내에서는 비로소 공인된 에스페란토 단체로서, 뻬테르부르크에 "에스페로"회가 창립되었습니다. 자멘호프는 대단히 기뻤으므로 시를 지어 축전을 보냈습니다.

경사스러운 성장을,
굳세게 자라 꽃을

피우기 바라며

마음으로 축하합니다!

이 회는 그 후 국내 각지에 지부를 만들어, 운동의 유력한 중심이 되었습니다.

그 당시 사람의 이야기를 빌면, 자멘호프 고향의 중심 그로드노(Grodno) 시는 꽤 큰 마을이므로, 안과의사 한 사람 정도 더 개업해도 살아남을 수 있을 것이라 했으므로, 안주의 땅을 구해 고향을 그리는 마음도 강해, 이번은 가족 전체가 그곳에 이사하기로 정했습니다.

1893년 10월 우선 혼자 가서 개업 준비를 하고, 11월 27일 아이 둘을 데리고 부부는 바르샤바를 떠났습니다. 그때는 서글픈 안개 자욱한 아침이었습니다. 역에 배웅해 주는 친구도 없었습니다. 상냥한 어머니가 지난해에 돌아가시고, 기억이 약해진 아버지는 남동생과 여동생들을 데리고 쓸쓸히 전송했습니다. 라자로 일가는 다시 돌아오지 않을 작정으로 바르샤바를 떠났던 것입니다. 4년의 세월이 어느새 흘러갔습니다. 그로드노에서의 생활도, 처음은 비교적 상태가 좋아, 검소하게 생활하게 되었습니다만, 어느새 안과 의원을 누군가 추가로 개업했으므로 점차 생활이 어렵게 되었습니다. 크지 않은 이 도시에 2명의 안과 전문의는 너무 많았던 것입니다. 게다가 "생존경쟁"에 있어서는 자멘호프는 그다지 능숙하지 않았습니다. 할 수 없이 또 장인에게 보조를 받지 않으면 안 되었습니다. 아버지 쪽에서는 특히 그것을 꺼리지는 않았지만, 라자로 자신은 아직 한 가정을 양육할 가망이 서지 않음으로 인해, 상당히 마음이 걸려 마음이 어두웠습니다. 한편 에스페란토 일도 좀체 순조롭게 진행되지 않아, 각자의 기호에 따른 개정안을 제출하는 사람이 많아 통일을 취하기 어려웠던 것입니다. 겨우 전체 에스페란티스토의 투표를 통해 개정 논쟁이 종결되자 많은 독일사람이 떨어져 가고 트롬피터의 지원도 거의 3년을 끝으로 끊겨 버렸습니다.

클라라도 집안 살림에 지쳐, 차츰 건강이 나빠져 갔습니다. 『에스페란티스토』지가 러시아 관헌의 탄압을 받고 발행될 수 없던 것도 바로 이때입니다.

1894년부터 『국제어문고』라는 문학작품을 중심으로 한 부정기 간행물도 발행했지만, 이것은 독자가 적어 계속 결손이었습니다. 자멘호프는 긴장도 되어, 생활에 노력하는 동시에, 누군가 에스페란토의 출판 사업을 맡아줄 사람이 없을까 찾고 있었습니다만, 그런 바람을 들어주는 사람은 좀체 없었습니다. 그러나 『에스페란티스토』지 잡지는 이제 "라 린그보 인테르나치아(La Lingvo Internacia:국제어)"라는 이름으로 스웨덴 웁살라에서 발간되게 되었습니다. 그로드노 시에서 점점 생활이 어려워진 자멘호프는 에스페란토에만 몰두하고서는 어디에 가도 그날 빵도 벌 수 없음을 절실히 느꼈습니다. 그래서 그는 지금이야말로 최후의 시도를 해 볼 결심을 했습니다. 그것은 일에 있어 다른 보람을 엉망으로 만들지 모릅니다만 그것보다 다른 길은 없었던 것입니다.

그는 2~3년간 에스페란토 일을 완전히 그만두고, 의사의 일에 전심전력할 결심을 했습니다. 이 사이에도 필요한 편지 왕래와 『인명록』을 발행하는 일은 이어나갔습니다.

세상의 비웃음

그때 세간에는,

"안과의사 자멘호프에게 환자는 하나밖에 없다. 그것은 에스페란토이다."라고 소문내며 웃었습니다.

이런 일화도 있습니다. 한때 자멘호프가 의사들의 모임에 출석하자 앞서 와 있던 쾌활한 의사들이 그를 보고 놀렸습니다.

"어이, 세계 치료사가 왔네요. 소문을 들으니 미쳤다던데요. 지금 당신의 세계 치료법 이야기를 하던 중입니다. 한번 들어보고 싶었어요. 도대체 당신은 바보와 천재 중 어느 쪽인가요?"

자멘호프도 그 말에 당황했습니다만, 곧 진정하여 그 두 사람 사이에 서면서

"보시는 대로 그 둘의 중간에 서 있지요."

라고 말하고 웃었습니다.

그로드노 시절의 자멘호프를 방문한 체뷔야도닌은 추억 속에 쓰고 있습니다.

"…붙임성 좋은 친절한 자멘호프 박사의 집에서 2시간 이상 이야기했습니다. 박사는 나를 부인에게 소개해 주었습니다. 그리고 그 뒤에, "아내는 에스페란토를 열심히 하지 않습니다. 에스페란토 때문에 환자가 점점 오지 않기 때문이죠. 대개 환자들은 내가 그런 한심한 일을 열심히 한 것을 보고, 미친 사람이라고 생각하고 걱정해 오지 않는 것입니다."라고 웃으면서 설명했습니다."

1897년 8월, 자멘호프는 전문 안과의 신지식을 배우기 위해, 잠시 우이나 대학에 실습하러 갔다가, 1월에는 집을 정리하여 또다시 바르샤바로 이사하고, 이번에는 바르샤바에서 제일 빈민 구역인 칫가 가에 거주지를 정했습니다. 칫가 가는 그 이름도 "거친 마을"의 의미로 가난한 유대인이 많이 모여 살고 있어, 비참한 생활을 하는 넓은 지역입니다. 여기에는 전문의원이 한 곳도 없었습니다. 이 주변에 사는 사람들은 진찰비를 충분히 낼 수가 없어, 눈이 멀어질 때까지 그냥 내버려 두어 의사에게 진료를 받으러 가지 못하는 불쌍한 눈병 환자도 많았습니다.

빈민가의 의사

한 사람의 진료비는 1원 40전이었지만, 열심히 친절하게 치료했습니다. 말씨도 이 마을 사람들이 허물없이 이야기하도록 유대 사투리를 사용했습니다. 매일 아침부터 저녁까지 자멘호프가 불쌍한 환자들에게 세심하게 마음을 보였고, 사람들이 이제 그를 에스페란토의 저자임을 잊을 정도로 열심히 일했습니다. 그래도 처음에는 매사가 잘 운영되지는 않았습니다. 그러나 이번이야말로 자멘호프도 마지막, 정말 마지막의 시도라고 각오하고, 만일 이 시도에서도 실패하면 이제 살아갈 길이 없다는 각오로 노력을 거듭했습니다. 그에게 있어, 이것이 이제 마지막 날이라 생각했습니다. 가족들이 어떻게 그를 위로해도 소용이 없었습니다. 지금까지 매월 장인으로부터 얼마의 돈을 보조받고 있는 것밖에 없어, 그것을 받을 때마다 자멘호프는 지옥의 모진 고문을 만나는 생각이 들었습니다. 이때의 어려움에 비교하면 그로드노 시절의 생활은 아직 달콤했던 것입니다. 수입도 조금 좋았고, 지출도 적어 좋았고 자신이 어째서 그로드노를 떠났던가 하며 후회했습니다.

물질적 어려움 위에 고향을 그리워하는 마음의 고민도 겹쳐 있었습니다. 자신이 태어난 지방, 그 조용한 리투아니아에서 4년의 세월을 보낸 뒤 바르샤바 생활은 마음도 몸도 전처럼 편안하지는 않았던 것입니다. "모든 것은 꿈이다. 눈앞에 보이는 것은 모두 꿈이다. 이윽고 눈을 확실히 뜨면 저 그로드노의 집, 저 깨끗하고 조용한 리투아니아의 풍물 속에 자신이 살고 있음을 알아차리게 된다."라고 그것은 현실에 안절부절못한 채 고민하여, "무분별하게 미친 것처럼 되어, 바르샤바에 돌아왔다"는 것이거나, 아니면 자신의 심정을 달래고픈 마음의 자연적 움직임이었던 것이지요. 그러나 1년 후에는 사정이 얼마쯤 좋은 쪽으로 향했습니다. 환자는 점차 착실하게 늘어갔습니다. 1903년에는 매일 30~40명의 환자가 진료를 받으러 오고, 수입이 지출을 능가하자 매우 기뻐 장인에게 "이제 보조를 받지 않고서도 할 수 있게 되었습니다."라고 알릴 수 있었습니다. 겨우 안심하여 또 에스페란토의 일에 힘껏 활동할 수 있는 행복한 시절이 되었던 것입니다. 그때가 자멘호프 부부에게 일생에서 제일 행복한 해였을 겁니다.

똑바로, 용감하게, 한길로
목표로 했던 길을 나아가자!
작은 물방울도 쉬지 않고 때리면
바위산도 꿰뚫는다.

희망과 버팀과 인내-
이것이 수호신이다.
그것의 덕택으로
한 걸음 또 한 걸음
긴 노동의 뒤에
빛나는 목적에 이르게 되는 것이다.
(자멘호프의 시 "길"에서)

Nur rekte, kuraĝe kaj ne flankiĝante
Ni iru la vojon celitan
Eĉ guto malgranda, konstante frapante,
Traboras la monton granitan.

L'espero, l'obstino kaj la pacienco-
Jen estas la signoj, per kies potenco
Ni paŝo post paŝo, post longa laboro,
Atingos la celon en gloto.
(el La Vojo)

(6) 힘차게 일어서자, 사랑하는 형제들이여

"형제들에게"

『에스페란티스토』지가 러시아 제국 정부의 뜻하지 않는 탄압으로 인해 폐간되자, 에스페란티스토들은 서로의 소통에 방해를 받았지만, 자멘호프가 뿌린 씨앗은 이제 세계 각지에서 뿌리내리고 싹을 틔웠습니다. 자멘호프는 여러 가지로 연구하여, 봉함우편물로 제국 국내로의 발송 형태로 외국에서 잡지를 발행하는 방법 등을 생각해 보았지만 실현되지 않았습니다. 자멘호프의 매일 매일 생활의 어려움은 작년에 낸『연습독본』(엑쩨르짜로 Ekzercaro)의 예문에도 볼 수 있습니다.

그때 에스페란티스토들은 거의 전부 가난했지만, 눈앞의 손익을 따지지 않고 이 사업을 위해 일하고 있었습니다. 예를 들면 에스페란토를 보급하기 위해 약간의 돈을 저축하려고 긴 시간 굶주림을 견디며 한 끼 식사를 절약하는 가난한 여교사도 있었습니다.

또 눈앞에 죽음을 앞둔 어느 중환자는 "사라져 가는 내 생명의 유일한 위안은 에스페란토입니다."라고 자멘호프에게 편지를 써 보낸 사람도 있었습니다.

이렇게 서로 외치며, 서로 격려하며, 서로 위로하며 자멘호프는 희망으로 연결된 큰 이상을 가진 가족을 키웠습니다. 눈앞의 이익을 넘어 사람의 마음에 스며든 에스페란토는 아무리 가난해도 아무리 작아도 이제 멸망할 수 없었습니다.

1895년 여름, 스웨덴 웁살라에 사는 대학생 랑글렛(Valdemar Langlet)은 친구와 함께 러시아 각지의 에스페란티스토를 방문하며 여행했습니다. 그것은 세계에서 처음으로 에스페란토를 통한 외국 여행이었습니다. 그는 남러시아 오데사에서 포도연구소 소장으로 일하던 화학자 게르넷을 만났습니다. 두 사람 모두 그때 가장 열심인 에스페란티스토였습니다. 웁살라에도 오데사에서도 이 사람들이 중심이 되어 에스페란티스토 친구가 될 수 있었습니다. 두 사람은 이제 겨우 발전하려는 에스페란토 사업에 중심이 되는 기관지가 없어진 것은 유감스러운 일이라며 어떻게 해서든지 빨리 기관지를 낼 필요가 있다고 진지하게 서로 이야기했습니다.

우리는 모두
멀리 떨어져,
뿔뿔이 흩어져 살아가지만,
그대는 어디에 있고,
무엇을 하는가?
나의 귀한 형제여!

Tre malproksime ĉiuj ni staras
La unuj de la aliaj……
Kie vi estas, kion vi faras,
Ho, karaj fratoj vi miaj?

도시에 사는 그대,
시골에 사는 그대,
또 작은 시골 마을에 사는 그대는
진정한 용기를 바람처럼
날려 보내지 않았는가?
그대 지방에서 우리의 일은
잘 되어가고 있는 것인가?
완전히 지쳐서 희망을 잃은 채
그대의 외침은 침묵을 지키고 있는가?

Vi en la urbo, vi en urbeto,
En la malgranda vilaĝo
Ĉu ne forflugis kiel bloveto
La tuta via kuraĝo?
Ĉu vi sukcese en via loko
Kondukas nian aferon,
Aŭ eksilentis jam via voko,
Vi lacaj perdis esperon?

그대의 활동은 중단없이
당당하게 희망으로 진행하고 있는가?
그대 마음의 불꽃은 언제나
꺼지지 않도록 간수하고 있는가?

Iras senhalte via laboro
Honeste kaj esperante?
Brulas la flamo en via koro
Neniam malfortiĝante?

힘차게 일어서자. 우리의 신성한
사업을 위해! 사랑하는 형제여,
유일한 아름다운 희망으로 함께 손잡고
함께 싸워가세!

Forte ni staru, fratoj amataj,
Por nia sankta afero!
Ni bataladu kune tenataj
Per unu bela espero!
……………

힘차게 일어서자.
용감하게 일하세
우리의 동료여 용감하게!
우리 일이여,
어서 키워 꽃피우자.
우리 힘으로 전세계에
....
아직, 우리는 첫걸음이다.
저 먼 목표엔
우리의 힘찬 영혼의 힘으로
우리는 그것에 도달하자.
......
우리의 인내와
두려움 없는 노동으로
우리는 그것에 도달하자.
......
긍지를 갖고 고개를 들어라.
세계는 기꺼이
우리를 축복하리.
......
우리의 노동과 인내야말로
세상을 행복으로 이끌지니!
(자멘호프 "형제들에게"에서)

Forte ni staru, brave laboru
Kuraĝe, ho nia rondo!
Nia afero kresku kaj floru
Per ni en tuta la mondo!
....
Staras ankoraŭ en la komenco
La celo en malproksimo,-
Ni ĝin atingos per la potenco
De nia forta animo!
....
Ni ĝin atingos per la paciencо
Kaj per sentima laboro.
....
Levos la kapon ni kun fiero,
La mondo ĝoje nin benos.
....
Nia laboro kaj pacienco
La mondon faros feliĉa!
(el "Al La Fratoj")

독립잡지

그래서 윱살라의 에스페란토단체가 중심이 되어 기관지를 내고, 오데사의 게르넷이 금전 지원과 언어 교열을 맡는 상담이 진척되어 이름은 <린그보 인테르나치아Lingvo

Internacia>(국제어)라고 하고 16페이지로 월간지를 발간하기로 했습니다.

이것이 앞서 발행된 기관지의 부활로 그해 말에 겨우 창간호를 내고, 이듬해부터는 매월 정확하게 내기 시작했던 것입니다. 그러나, 교정판을 멀리까지 보내는 불편과 재정적 곤란으로 발행이 늦어지거나, 쉬기도 했습니다만 그때마다 또 열심인 인물이 나타나서, 일손을 바꾸어 이 잡지 발행을 계속해 나갈 수 있었었습니다. 1900년부터는 헝가리의 인쇄공 출신인 에스페란티스토 렌켈이 인쇄와 발송을 맡고, 오스트리아, 헝가리 국내에서 인쇄되어 이윽고 1904년에는 렌켈이 편집도 하게 되고, 그해 파리로 옮겨 파리의 후루이그찌애 교수와 카알 교수가 중심이 되어 에스페란토 전문 인쇄소도 가지게 되었습니다. 이 잡지는 내용도 충실하여 제대로 된 잡지의 모습을 갖추어, 제1차 세계대전이 일어날 때까지 계속 발간되었습니다. 자멘호프는 제7호에 썼습니다.

"…이 잡지는 다른 사람이 편집하고 있습니다만, 순수하게 이전의 <에스페란티스토>지를 이어받은 것입니다. 그것은 우리 모두에게 실로 잘 편집된 중심 기관지임을 보여주고 있습니다.…

1895년 12월까지는 우리 사업의 지도 업무는 항상 그 창시자(자멘호프)의 손안에 있었습니다. 그것은 어쨌든 이 사업에 다소 개인적 성격을 주었으므로 좋은 것이 아니었습니다. 그렇지만 이 사업을 지도해 줄 사람이 아직 없었으므로 유감인 줄 알면서도 중지할 수 없었던 것입니다.

그러나 지금 이 잡지는 인쇄되기 전에 내가 한번 보지 않았지만, 실로 훌륭하게 편집되어 이제 7호까지 나왔습니다.

이것은 우리 사업이 이미 완전히 독립하여, 나의 지도나 도움이 필요로 하지 않게 되었음을 거침없이 이야기하고 있습니다.

이것은 우리 사업의 한 시대의 획을 긋는 것입니다. 우리 사업이 개인적이지 않고 독립성을 더 강하게 가지게 됨을 진심으로 희망해 왔습니다. 그래서 나는 이 기관지에 주도적 참여를 가능한 한 사양합니다. 나는 그저 모든 에스페란티스토의 주소를 기록하여 (이는 항상 한 곳에서 이루어질 필요가 있으므로) 에스페란토 『문고』 출판의 일을 준비해 가겠습니다….

어떤 일이나 여러분이 스스로 해야 합니다. 여러분은 지금부터는 언제나 이 언어의 제창자는 이제 없음을, 또 언어 자체와 언어 대중(에스페란티스토들)이 있을 뿐임을 상기해 주십시오.”

에스페란토가 독립적인 언어가 된 것입니다.

『문고』와 『인명록』

자멘호프는, 에스페란토의 성장은 표면의 눈부신 활동이 아니라 조금씩 끊임없이 늘어나는 에스페란티스토라는 언어 대중과 에스페란토로 쓰인 문화가 그 상징임을 생각하고 인명록의 관리와 문고 발행의 일을 계속했습니다. 이것은 에스페란토 사업의 뿌리이고, 줄기입니다. 자멘호프는 그 수고를 계속했던 것입니다. 이 당시가 자멘호프의 생활에서는 가장 어려운 시기였습니다.

*주: (1)오뎃사의 게르넷의 “추억”에서

<에스페란티스토>지를 계속 발간하기 위해 오뎃사 회원을 중심으로 기금을 모으기로 했으나 제정 러시아 정부의 검열과 불허가라는 대답을 들었습니다. 겨우 『문고』와 뒤에 『린그보 인테르나치아』를 편집했습니다. 에스페란토 사전 출판도 겨우 성공했습니다. 자멘호프가 여기에 유류겐센의 원고(에스페란토-독일어 사전)를 보내어 왔지만 검열과에서 압수했습니다. 우리가 중앙검열국에 진정서를 제출하자, 당국에서는 “에스페란토는 언어가 아니다. 그것은 암호로 연락하는 음모의 수단이고, 도둑의 신호 같은 것이다.”라고 회신을 보내 왔습니다. 그곳에 원고만이라도 돌려달라 항의했지만, 그들은 돌려주지 않았습니다. 그러다가 나중에 달리 애를 써서 그것은 되돌려 받았지만, 인쇄는 불가하다고 했습니다. 국제어를 알고 있는 검열관이 없어 안 된다고 합니다. 옳거니 하는 심정으로 그 검열관에게 국제어를 배워 보시는 것이 어떻겠는가 하고 제안했습니다. 이런 쓸데없는 것을 배울 필요가 없다고 말하면서 어쨌든 허가를 어렵게 얻었습니다. 이렇게 하여 겨우 사전을 발간할 수 있었습니다.

또 외국으로부터 잡지와 책을 받을 때 여러 가지 어려움을 이기지 않으면 안 되었습니다. 한번은 불가리아 에스페란티스토 보구타노프가 교재를 보내 왔습니다. 붉은 표지에 두꺼운 글자로 “혁명”이라고 쓰여 있었다. 이런 책을 받는 것만으로 그 당시 보안경찰은 그 책의 수취인을 시베리아로 유배를 보낼 권력을 가지고 있었던 것입니다. 수취인은 자멘호프 박사였습니다.

오랫동안 우리는 걱정했던 것입니다. 그가 혹시 피해를 보지나 않을까 하고 생각하면서요…….

『린그보 인테르나치아』에는 매호 독자의 주소표를 적고 있었지만, 그것에 핀란드[30]를 러시아와 구분하여 쓰고 있었으므로 어떤 사람이 이를 헌병대에 고발했습니다. 당시 러시아령이었던 핀란드를 러시아에서 분리 독립하려는 혁명 행위라는 것입니다.

<린그보 인테르나치아>지 (당시 스웨덴에서 발행)는 반입이 금지되고, 사건은 재판까지 갈 정도였습니다. 이러한 어려움을 극복하고서 <린그보 인테르나치아>와 에스페란토 운동 전체를 구할 수 있었습니다.

*주(2):

수효가 작은 초기 에스페란티스토들도 이 사업의 장래를 위해 중요한 나라 중 하나로 일본을 일찍부터 주목하여, <린그보 인테르나치아>지의 게르넷은 아일랜드 사람인 게오하간이 어느 정도 일본어를 알고 있어, 일본어로 선전문을 써 보냈지만, 반응이 없었습니다. 당시 『린그보 인테르나치아』지에는 일본을 비교적 좋게 싣고 있었습니다.

---

30) *역주: 13세기부터 핀란드는 북방 십자군과 스웨덴의 식민지로 스웨덴에 병합되었다. 1809년 핀란드는 핀란드 대공국이라는 이름으로 러시아제국의 자치령이 되었다. 1906년 핀란드는 유럽에서는 최초로 모든 성인에게 선거권을 부여했으며, 세계에서 최초로 모든 성인에게 공직에서 활동할 수 있도록 했다. 1917년 러시아 혁명 이후 핀란드는 핀란드 독립선언을 발표하고 독립을 선포했다. (위키피디아에서).

이때 자멘호프는 『에스페란토 속담집』을 발행했습니다. 이것은 아버지 마르크스가 정성껏 편집, 저술해 놓은 "각국어 속담집"의 에스페란토 편에 해당하는 것입니다. 1895년 제1권을 내고, 매년 이어 제3권까지 내었습니다. 라자로의 세계어 원고를 빼앗아 찢었던 아버지도 오히려 지금은 에스페란토를 배우고, 힘을 합해 이 『속담집』을 완성한 것 같습니다.[31)]

자멘호프의 『에스페란티스토 인명록』 발행은 1907년 제27집까지 이어지고 그 후에는 프랑스의 아셋트 서점에서 계속 발간해 충실한 연감으로 자리 잡아 갔습니다. 자멘호프의 국제어 『문고』 발행은 1894년에 시작된 에스페란토의 문학 총서로는 최초라 할 수 있습니다. 원작과 번역의 문학작품이 모이고, 문체도 자멘호프가 고심하여 갈무리한 훌륭한 것입니다. 이것은 1898년까지 이 형태로 계속 발간되고, 1900년대에 들어서는 파리의 유력한 출판사 아셋트 서점에서 『자멘호프 박사 교열 총서』로 하여 대규모로 발행되니, 이것은 세계 각국의 문학, 철학 등의 유명 작품을 각국의 열성 에스페란티스토들이 번역한 것을 자멘호프가 정확히 교열, 첨삭한 것입니다. 교열료는 그리 높지 않아 자멘호프의 양식에는 큰 도움이 되지 않았지만, 서적이 팔려 나가자 자멘호프의 생활을 충족시켜 주었습니다. <린그보 인테르나치아>지를 창간한 스웨덴의 랑글렛은 에스페란토를 통해 알고 지내던 핀란드의 열성 동지

31)*주: 이 『속담집』도 처음엔 잘 팔리지 않았습니다만 나이든 아버지를 기쁘게 해드리기 위해, 자멘호프는 스스로 돈을 내어 독일인 에스페란티스토인 서점 주인에게 부탁하여, 아버지 쪽으로 주문서와 돈을 보내게 시켰습니다. 아버지는 자기의 장년 노작이 많이 팔리게 되었다고 말하고 만족하여 행복하게 만년을 끝마칠 수 있었습니다.

블롬베르그(Signe Blomberg)와 결혼하여, 나중에 저술가, 신문주간, 부다페스트대학에 스웨덴어 강사로도 활동했습니다.

그 잡지의 인쇄를 담당하다가 나중에 그 주간으로서, 유럽대전의 시작까지 파리에서 버텼던 헝가리인 렌켈은 가난한 인쇄공에서 성공하여 인쇄공장 주인이 되었고, 1905년 파리로 나와서는 에스페란토 인쇄, 출판사 설립에 참여했습니다. 이것은 에스페란토 전문기업으로서는 최초의 것입니다. 이 출판사는 프랑스의 후루이그찌애 교수, 카알 교수 등이 중심이 되어, 문체가 뛰어난 착실한 출판물을 내어 에스페란토 운동에 많은 도움을 주었습니다.

이처럼 20세기에 들어서자, 에스페란토가 실생활에 도움이 되었습니다.

녹색별

에스페란티스토는 지금도 녹색별을 상징으로 사용하고 있습니다. 처음 <라 에스페란티스토>지 상에 무엇인가 표상이 될만한 에스페란토의 표시를 정하자는 의견이 나와, 여러 가지 기발한 안이 나왔습니다. 그 가운데 어떤 사람의 책이 초록색의 색종이에 별이 붙어 있는 것에 착안해내어, 모두 차례로 녹색별을 사용하게 되었습니다. 에스페란토 깃발은 녹색의 천으로, 왼쪽 4분의 1을 백지로 하여 그 가운데에 녹색별을 그려 넣습니다. 보통 녹색은 평화를, 별은 희망을 나타낸다고 말하기도 합니다. 그러나 녹색별은 좀 더 깊은 뜻이 있습니다. 괴테의 유명한 말에 "학문에 빠지는 것은 녹색의 평원에서 마음의 풀을 먹는 것과 같다."라고 하고 있고, 레닌도 "이론은 회색이고, 실천은 녹색이다."라고 했습니다. 녹색은 생기 있는 생명, 실사회의 실생활을 의미하고 있는 것입니다. 별은 시간의 운행을 나타내고, 방향의 결정을 나타내고 있습니다. 자멘호프의 시에도 "좋은 별의 근원, 행복한 시절"이라든가 "밤하늘의 별처럼 우리에게 앞길을 알린다."라고 말하고 있습니다. 녹색별은 현실의 생명과 역사적 사명의 실행을 나타냅니다.

3. 마이스트로(Majstro 대 스승)

(1) 감격의 불로뉴 세계대회

새로운 세기

20세기는 19세기의 연결이지만 뭔가 두드러진 변화가 느껴졌습니다.

19세기 말은 전반적으로 무슨 일이나 번거롭고 초조한 시기였습니다. 근대문화가 여러 가지로 교착 상태에 빠져, 갈 길을 잃고 해악 덩어리가 된 채, 20세기의 막이 오르자 그 결산기에 들어선 것입니다. 누구나 왠지 불안한 마음이라서, 잠자코 있을 수 없었습니다. 세계 산업 분야나 정치 분야도 어떻게든 해서 이 어려움을 타개하려고 고심하고 있었습니다.

답답한 시대, 문화의 안개 짙은 북유럽에서 겨우 독립된 에스페란토도 20세기와 함께 결전의 무대로 호출을 받게 되었습니다. 새 시대, 활기와 살기가 소용돌이치는 시대에는 뭐든 가만히 내버려 두지 않았습니다. 1900년에 개최된 파리 만국 대 박람회[32]는 단순한 모임도, 축제의 소란도, 그냥 기업 전시도 아니었습니다. 세계의 산업, 정치, 문화 각 방면에 걸쳐 세력 변동을 느껴온 프랑스공화국 정부가 세기의 대축제라는 이름하에 국가정책으로 온 힘을 집중하여, 프랑스 지배계급이 지배권을 유지하려고 전 세계에 작용한 문화의 대단한

---

32) *역주: 당시 대한제국도 한국전시관을 만들어 악기, 자개 공예품, 도자기, 자수, 의복 등이 소개되고, 금속활자본도 전시되었음.

횃불이었습니다. 프랑스 국민도 기분전환을 기대하여 그것을 지지했습니다. 무엇인가 대단한 자극을 바라며 기다렸던 것입니다.

그 당시 보프롱이 1898년에 발간한 프랑스어로 된 에스페란토 선전 잡지 "레스페란티스토"가 각국에 보급되어 에스페란토 보급회가 만들어졌습니다. 1900년 스웨덴 에스페란티스토가 디존 대학의 람벨 교수를 방문한 일 등이 계기가 되어, 유력한 학자 사이에 에스페란토가 보급되고, 벨기에의 평화론자인 가스톤 모흐가 파리의 신문학원에서 강연하자, 열성적 청강자들이 나서고, 곧바로 파리 에스페란토회가 성립되었고, 대수롭지 않은 강연, 신문논설, 회합 따위도 금세 효과를 얻어 활동을 불러일으켰습니다.

이 만국 박람회의 교육관 중에 러시아 출품 부서에 페테르부르크의 "에스페로"회 동지들이 그 일부를 빌려, 프랑스 에스페란티스토들이 조금씩 나누어 각국 동지들을 응대하니, 에스페란토의 실용성을 본보기로 보여주었습니다. 박람회의 회기 중, 활발히 개최된 국제적 학술회의에서도 에스페란토가 논제가 되기도 했습니다. 현대어학회, 철학회의, 기술교육회의, 재외 프랑스상업회의소 및 동업종의 조합총회, 사회교육회의 등이 그 주가 된 것입니다. 학술진흥회 대회에서는 보프롱이 "국제어의 본질 및 장래"라는 제목으로 강연을 하여, 학자와 지식인 사이에 큰 영향을 주었습니다만 이 강연 원고는 자멘호프가 쓴 것입니다.

과학자들의 관심

과학자들 간에도 에스페란토는 인정되어, 디존 대학의 람벨 교수, 메레 교수 등이 순회강연을 통해 리용, 브장송, 비엔느, 토르빈, 그르노블 등의 대학이 있는 도시에 에스페란토회가 생겼습니다. 세벨 장군은 과학 학사원에서 에스페란토 강연을 했고, 뿌루레 교수의 노력으로 파리 에스페란토회는 소르본 대학에서 회합을 계속하여, 폴 후루이스치에[33] 교수의 주관하에 “국제과학잡지”가 발간되어(1903년) 국제 에스페란토 과학협회가 생겼습니다(1904년). 뿌루레 교수는 그 당시 7만 명의 회원을 가진 “관광클럽”의 기술고문으로서, 이 단체의 기관지를 활용하여 널리 에스페란토 보급 활동을 시행했습니다. 이때 유럽의 모든 국가에서는 자전거를 이용해 세상 유람을 하는 것이 매우 많아져, 이 방면에 에스페란토가 빠르게 널리 퍼졌습니다. 유명한 학자, 실업가, 신문기자, 변호사 등 19세기 말과는 상당히 다른 사람들이 에스페란토에 매료되었습니다. 에스페란토가 자본주의 사회에 스며들어 갔던 것입니다.

근대사회의 자본가들은 아무 물건이나 열의를 가지고 관심을 표명했습니다. 에스페란토도 유리한 사업으로 흥미를 느끼는 사람이 나왔습니다. 현실사회에 뿌리를 내리기 위해서는 그 사회의 법칙을 받아들여, 게다가 그것에 대하여 비판적 정신을 계속 가지지 않으면 안 되었습니다. 여기에 자멘호프의 새로운 고민이 시작되었습니다.

당시 세상은 문명의 춘추전국 시대였습니다. 이 무대에는

---

33) *역주: Paul Fruictier (1879-1917) 프랑스 의학박사, 에스페란토문법학자.

호걸이 구름처럼 등장해 왔습니다. 에스페란토에도 후작이라고 자칭하는 도미니크파 신학박사 루이 보프롱, 학습보급 운동의 활동가로 제동기 연구의 대가인 카알 뿌루레, 무연화약과 어형수뢰 개발의 공로자이자 프랑스 전기 산업의 개척자이자 과학 학사원 회원인 세벨 장군(이 사람은 또 학술 문헌 서지학의 제창자이기도 합니다.) 불로뉴 변호사회 회장으로 소년범죄자 교도협회장인 알프레드 미쇼, 장기전쟁의 예언자로 인권 옹호 군비제한의 주장자인 『평화주의의 희망』의 주간 가스튼 모흐 등이 나타나, 에스페란토는 풀이 마른 들판에 불붙는 것처럼 퍼져 나가기 시작했습니다.

뿌루레는 학술보급 운동으로 연고지가 있는 파리의 큰 출판사 아셰트와 교섭하여 자멘호프의 저술을 전부 독점하는 특약을 연결하는 일에 조력했습니다. 세계의 문명사회와 학술 분야에 진출을 꾀하기에는 유력한 출판사와 연결함은 필요하지만, 에스페란토 운동은 자유롭게 발전시켜야 한다고 생각한 자멘호프는 여러 생각 끝에 결심하여, 완전히 개인으로서 자신의 저작을 전부 아셰트를 통해 출간해 내는 것, 또 "자멘호프 교열 총서"도 같은 서점에서 내는 것 등의 계약에 동의했습니다.

이 서점은 그 외에도 학습서, 사전, 잡지 『라 레부오』, 『레부오』 총서, 『전 세계 에스페란토 연감』 등을 발행해, 전 세계 각지의 지점과 대리점망을 통해 보급하여, 학습서 등은 한 판에 500,000부나 인쇄하는 등의 성황을 이뤄, 보급에는 전체적으로 크게 도움이 되었습니다만, 자멘호프는 이 계약에 묶여, 매우 바쁜 집필이라는 노동을 하였지만, 다른 많은 잡지에 집필과 논평의 자유를 방해받게 되어 답답한 생각도 하지 않을 수 없었습니다. 후루이스치에와 카알과 렌켈 등은 에스페란티스토의 자주적인 인쇄출판사를 창립하여, <린그보 인테르나치아>지, 그 밖의 뛰어난 서적의 출판을 계속하여, 아셰트 서점의 독점에 대항했습니다. 『자멘호프 교열 총서』를 어떤 영리 목적의 출판사가 독점하는 일은 여러 오해와 파란을 일으켰던 것이었습니다. 다른 출판물은 자멘호프에 의해 인정되지 않게 되고 또 자멘호프는 다만 개인 자격으로 교열하고 있지만, 뭐라 해도 정신적 지도자이고, 이 언어 기술에서는 제1인자이므로 그의 교열을 거치지 않은 것은 가치가 낮게 생각되는 오해가 일어난 것입니다. 독점자본에 의해 에스페란토 사업의 자유로운, 건전한 발전이 방해받는 결과가 일어났습니다. 아셰트 서점은 이윽고 뿌루레의 주간하에 『라 레부오』라는 훌륭한 월간 문예 잡지를 발행하고, 자멘호프는 이것에 세계 고전문학의 번역과 에스페란토어에 대한 질의-응답을 연재했습니다.

세계대회를 향한 말

1900년 이래, 여러 나라의 에스페란티스토들이 서로 왕래하는 회합은 점차 많아져 가고 1903년 프랑스의 루아벨 에스페란토회가 초대한 모임에 영국, 보헤미아(체코) 에스페란티스토들이 참가하여 국제 회합의 희망이 싹트게 되었습니다. 1904년 8월에는 영국-프랑스 해협의 양 연안에 사는 에스페란티스토들이 여름을 즐기기 위해 칼레와 도버에서 모임을 여니 각국에서 200명 정도 모였고, 이 자리에서 내년에 세계대회를 열자는 제안이 있었습니다. 그것은 불로뉴 에스페란토회에 속해 있는 미쇼의 제안으로 이 역사적 해안의 마을인 불로뉴에서 열기로 결정되었습니다. 프랑스 에스페란토 운동이 이제 시작 단계였으므로 성공할지 어떨지 걱정하는 사람도 있었습니다만, 세계 각국에서 약 700명의 에스페란티스토가 모여, 의외로 대성공을 거두었습니다. 그해에는 세계의 다른 한편에서는 러시아-일본 전쟁이 시작되었습니다. 열강은 더욱 제국주의가 강해지고, 전쟁을 선호하게 되는 것에 대하여, 각국의 대중은 불안과 불만을 느껴 평화를 위한 노력을 열망하고 있었기 때문입니다. 이 대회를 열기 전에 자멘호프는 깊이 마음을 써, 세계의 동지들에게 그 의도를 간절히 지도했습니다.

"대회가 가까워졌습니다. 이는 전 세계를 향해 우리가 처음으로 정식 등장하는 자리이기에, 의심에 여지없이 우리 사업의 역사상 가장 중요한 순간이 될 것입니다. 대회가 훌륭하게 열리면, 전 세계 사람들의 이목을 집중시킬 수 있으니, 이는 여느 다른 설법보다도 더 크게 오래 남을 수 있는 인상을 줄 것입니다… 모든 진리가 추상적 교의에 머물러 있으면 세계에 어떤 영향력도 줄 수 없습니다. 그러나 그것이 구체적 형태로 나타나, 군중이 되어, 눈앞에 살아 움직이고, 깃발을 세우고, 열심히 노래가 울려 퍼지는 모습을 보게 되면, 이상한 힘으로 무의식중에 관망하던 사람도 열심인 대중의 쪽으로 움직이게 합니다. 그리고 지금까지의 땀방울로 이뤄 놓은 사상은 단번에 바다 같은 세계로 흘러가는 것입니다.…

감동을 주는 것, 이것이 무엇보다도 우리 대회의 목적이 되어야 합니다…

그렇지만 우리가 대회에 각자 지니고 오지 않으면 안 되는 제일 중요한 것은 평화와 서로의 사랑과 관용입니다. 대회가 성공하려면 무엇보다도 먼저 모두가 형제처럼 행동하지 않으면 안 됩니다… 모두는 조용히 다가와, 의견을 나타내고는 다수의 결정에 따르는 것… 누구나 자신의 의견과 의지를 강요해서는 안 되며, 자신의 의견이 채용되지 않아도 화를 내서는 안 됩니다… 개인적 야심과 투쟁의 씨를 뿌려 우리의 축제를 더럽히는 사람이 있으면, 우리는 모두 그가 어떤 위대한 인물이라 하더라도 상대하지 맙시다…

또 한마디, 대회에 대한 나의 의견을 적고자 합니다. 많은 에스페란티스토들이, 나를, 마치 우리 사업의 화신처럼 생각하여, 대회에서 나에게 특별한 명예를 주려는 것을 나는 알고 있습니다.

대회 주최자는 나를 위한 특별한 축제를 프로그램 속에 넣으려 하기도 하고, 어떤 사람은 '자멘호프를 위한 찬가'를 만들기도 했습니다. 그러나 나는 이런 일을 하지 말았으면 하고 여러분에게 진심으로 바랍니다. 그렇게 하지 않아야 합니다. 대회는 그냥 우리 사업에 명예를 부여하는 것이므로, 개인에게 향하는 것은 바람직하지 않습니다. 그렇지 않으면 대회는 많은 공감을 잃고, 사람들이 명예를 준다고 이를 기뻐할 줄 알았던 사람을 곤란하게 할 뿐입니다.

에스페란티스토 여러분께서 나에게 감사의 마음을 나타내려고 하면, 나는 다른 방법으로 받겠습니다. 내가 평생을 바친 사업이 크게 성공한 모습을 보는 것, 몇백 명과 함께 싸우는 동지들이 우리 사업을 위해 노력하는 것을 절대 포기하지 않겠다며 내 손을 잡아 주는 것, 그것들이 나에게 특별히 뭔가를 만들어 오히려 대회를 해칠지도 모를 명예보다도, 충분히 더욱 기쁘게 나에게 보상이 됩니다." 라고 대회 전에 자멘호프는 에스페란티스토들에게 알렸습니다.

그러자, 자멘호프의 초상이나 메달을 만든다는 계획도 대회 주최자이자 의장으로 추대하겠다는 이야기도 자멘호프는 사양했습니다.

자멘호프는 세계대회를 인류 우애와 세계 평화를 위해 전 세계 에스페란티스토의 대축제가 되기를 바람과 함께 에스페란토 사업을 위해 중요 문제를 토의하는 기회로 만들기 위해 세계 에스페란티스토를 조직하는 일, 언어위원회를 설치하는 일 등의 안건을 제출했습니다. 다수의 사람 앞에서 이야기했던 적도 없고, 외국으로 먼 여행도 해 본 적 없는 자멘호프는 이때 겨우 생활도 조금 안정되어 시간도 여비도 맞출 수 있게 되었습니다.

오랜 기간 고생시켜온 부인과 동행하여 3등 열차를 타고, 문명의 중심지인 파리에 갔습니다.

프랑스에 도착하자 대단한 환영에 놀랐습니다. 파리 시장의 환영초대연, 에펠탑 위에서의 연회, 프랑스 문교부 장관이 수여하는 레지옹 도뇌르 훈장[34], 잠도 편히 잘 수 없을 정도로 신문 기자들의 방문 쇄도….

프랑스 에스페란토 운동의 지도자들은 자멘호프를 추앙하여 천하에 호령하려고 만반의 준비를 하며 대기한 채 도착을

34) *역주: 프랑스공화국의 최고 훈장.

학수고대하고 있었던 것입니다. 자멘호프는 그만큼 거절했기에 당혹스러웠습니다.

세계 동지들과 함께

파리에서의 화려한 여러 명사와 사교나 외교와는 달리, 불로뉴에서는 각국에서 모인 소박한 동지들과 손을 잡고 느긋하게 쉬면서 이야기하자, 자멘호프는 마음속 깊이 기쁨을 느꼈습니다. 대회는 자멘호프의 "희망"의 찬가를 연주하는 것을 시작으로 개회가 선언되었습니다.

세계 속으로 새로운 정기가 들어섰다.	En la mondon venis nova sento,
세계 속에 강한 부름의 소리가 울려퍼졌다.	Tra la mondo iras forta voko.
……	……

자멘호프가 연단에 서자 환호와 박수 소리가 그치지 않았습니다.

연설에 익숙하지 않은 자멘호프는 감격하여, 긴장하면서 조용한 목소리로 이야기하기 시작했습니다.

"전 세계 인류의 큰 가족인 형제자매 여러분, 나는 여러분에게 인사드립니다…… 우리들의 이 모임은 소박합니다만 오늘 이날은 신성합니다……

예언자와 시인들은 인류가 다시 서로 이해하여 하나의 가족으로 이어지는 것을 단지 먼 미래 속의 일로 계속 꿈꾸어 왔습니다. 그것은 다만 꿈으로만 여겼습니다.

그러나 지금 비로소 다른 민족의 사람들이 타국인으로서가 아니라, 경쟁자로서가 아니라, 형제로 나란히 서는 것입니다. 서로 자신이 쓰는 언어를 강요하지 않아도 서로 이해하고 있습니다. 그들을 가로막는 어둠 때문에 서로 의심하는 일 없이 서로 사랑하고, 외국인이 외국인에 대한 위선이 아니라, 인간으로 인간에 대하여 성실하게 손을 잡고 있습니다.

우리는 잘 이해합시다.

오늘 이날의 중요한 일을.

오늘은 프랑스인이 영국인과 러시아인이 폴란드인과 모임을 여는 것이 아니라 사람과 사람이 모인 것입니다.

오늘 우리는 지금까지 세계가 믿지 않으려는 것을, 부정할 수 없는 사실을 보여주기 위해 모였습니다.

……

벙어리와 귀머거리 싸움이 수만 년의 긴 세월이 흐른 뒤, 지금 불로뉴에서 인류의 모든 민족 사람의 이해와 우애가 실제로 점차 커 가기 시작했습니다.

그것을 시작한 이상, 이제 멈추는 일은 없을 것입니다.

그것은 깊은 어둠의 최후 그림자가 영원히 사라져 버리기까지 더 앞으로, 더 힘차게 나아갑시다."

이번 기회에 그는 참석자들에게 인공 세계어 운동의 선구자들을 깊이 추모하는 경의를 표하자고 제의했습니다. 그리고 처음으로 그의 수년간의 논적이었던 슐라이어의 정신을 칭송했던 것입니다.

"…볼라퓌크의 저자이며 존경해 마지않는 마르틴 슐라이어

옹이 저술한 언어 형태는 실제적이 아니라서, 또 그분이 택한 길이 맞지 않아, 그분이 그 때문에 애써 온 사업이 실패하고, 그 실패로 인해 우리가 가지는 사상 전체에 큰 불이익을 초래했습니다. 그러나 우리는 공정하지 않으면 안 됩니다. 실패로 그분을 평가하면 안 됩니다. 그분의 노동으로 평가하지 않으면 안 됩니다. 그분은 꾸준히 중립어 사상에 대해 세계가 관심을 가지도록 한 최초의 사람입니다. 그분이 그 사업에 실패해, 모든 인공어에 대해 세상이 냉담하게 되었다 하더라도 그것은 그분의 실수는 아닙니다. 그분은 크고 좋은 일을 생각했습니다. 그리고 그 좋은 일을 이루기 위해 그분은 열심히 큰 활동을 전개했던 것입니다. 우리는 그분을 성공이냐 실패냐로 볼 것이 아니라, 그분이 해오신 의지와 노동을 보며 바른 평가를 해야 합니다… 우리는 대회 참가자 모두의 의지를 대표하여 이렇게 적어두고 싶습니다… 중립의 국제어 사상의 최초이자 또 가장 정력적인 선구자인 슐라이어 씨에 대하여 우리는 모두 진심으로 감사를 드립니다…”

오히려 자멘호프는 슐라이어로부터 크게 불리함을 당해도, 그것과 싸우지 않으면 안 되었던 것입니다. 그의 불완전한 언어와 잘못된 지도 행동에 이기려고 많이 노력해야 했습니다. 그러나 자멘호프는 슐라이어로부터 많은 것을 배웠던 것입니다. 자멘호프의 언어의 올바른 지도 행동은 선배 슐라이어의 실수와 실패에서 깊은 교훈을 얻었습니다.

우리는 이것을 또 자멘호프로부터 깊이 배우지 않으면 안 됩니다. 사람을 평가할 때 성공이냐 실패로 볼 것이 아니라, 그 사람의 “의지와 노동”으로 평가해야 함을, 또 그 일은 그 사람의 세련되고 올바른 언어지도뿐만 아니라, 그 사람의 시행착오를 통해서도 배워야 함을 알게 됩니다.

또 자멘호프는 에스페란토사업이 많은 사람의 헌신적 협력을 통해서만 성장 발전할 수 있었음을 강조하고, 레오 보르도, 아인시타인, 요셉, 와스네위스키 등 처음의 사도들과, 트롬피터처럼 어떤 보답도 바라지 않고 지지해 준 보호자들, 지금은 이미 별세한 분들의 이름을 들어 이 사람들이 없었더라면 에스페란토사업은 벌써 없어져 버렸을지도 모른다며 이분들이 오늘의 성공을 보면 얼마나 기뻐할 것인가 하고 말했습니다. 그리고 점차 잊혀가는 어려웠던 때의 협력한 이들의 공로를 깊이 생각해, 한 사람 한 사람 이름을 들먹여, 지금 이 자리에 없는 선구자들에게 진심으로 감사와 존경을 표하고 싶습니다.

세계대회는 에스페란토를 세계의 공중 앞에 내놓고, 하나의 새로운 시대를 열었습니다.

친애하는 대 스승

자멘호프는 제1회 대회에서 제8회까지 개회식마다 세계의 형제들에 깊은 마음이 가 있음을 연설하고, 격려하고 충고하며 인도해 갔습니다. 그것은 사도(使徒)와 같은 정열, 아버지로서의 사랑, 인류 교육가로서의 깊은 지혜와 마음 씀씀이를 나타내고 있습니다.

에스페란티스토들은 그를 “아버지”라고 부르기도 하고 혹은 “친애하는 대 스승”이라 부르며 존경했습니다.

세계대회는 그 뒤 제네바, 캠브리지, 드레스덴, 바르셀로나, 워싱턴, 안트베르펜, 크라쿠프, 베른에서 개최되었습니다. 대회는 대개 그 나라의 주권자 또는 장관들이 후원자가 되었고, 자멘호프는 국빈 대접을 받은 적이 많았습니다. 영국에서는 런던시장으로부터 길드 홀에 초대되어, 의장대가 따르기도 하고, 제네바에서는 연도에서 그 나라 국기로 환영을 받기도 하고, 스페인에서는 국왕으로부터 '이사벨 가톨리카' 훈장을 받게 되었습니다. 벨기에의 안트베르펜에서는 자멘호프가 탄 마차의 말을 분리해 내고 학생들에게 전부 망을 씌워 대회장에서 승선장까지 그 마차를 끌고 간 일도 있었습니다. 그러나 자멘호프는 이러한 우상으로 추대되는 대접에는 매우 고통을 느꼈습니다.

"… 서로 사랑하는 형제들이 때때로 부모가 사는 집에서 서로 모이듯이, 에스페란티스토들은 에스페란토계의 중심에 모여, 정답게 인사를 교환하고 따뜻한 손을 잡고, <우리는 살아 있습니다. 우리는 지난 1년간 정정당당하게 활동해 왔습니다. 우리 집의 명예를 바르게 지키고, 오늘 맑은 양심으로 우리 집의 공동 축제에 참여할 수 있었습니다> 라는 이 순간을 손꼽아 기다렸던 것입니다. 그러나 여러분께서 공동 축제에 기뻐 분발하는 마음으로 준비하고 있는 때, 나는 왠지 답답한 마음으로 준비하지 않으면 안 됩니다.

대회에서 나의 운명은 나에겐 영광이기는 하지만 특별히 무거운 짐을 가득 지워주었기 때문입니다…… 당연하든 그렇지 않든, 이 세계는 언제나 나를 에스페란티스토 단체의 당연한 대표자로 보고, 에스페란토주의(*주 참조), 에스페란티스토의 충성과 통일의 상징으로 인정하고 있습니다.

어떤 사람은 나를 어느 국왕의 역할을 한다고도 봅니다. 그 때문에 나는 언제나 답답한 마음을 안고 대회에 참석해 왔습니다.

나에게 있어서 너무 번거로운 그런 역할을 거절하고 싶은 생각을 강하게, 강하게 피력하고자 합니다. 나는 여러분 앞에서 있기보다는 여러분 사이에 있고 싶습니다…"(바르셀로나 대회)

이러한 의미의 말을 그는 자주 되풀이하여 말했습니다. 공리적인 사람들이 상징을 억압하는 권력을 휘둘렀던 것입니다.

* 주 : 세계에스페란토대회는 3가지 중요한 사명을 지니고 있습니다. 첫째, 이는 성장해가는 에스페란토 언중의 회의로서, 에스페란토사업의 발전을 위해 여러 중요한 일을 협의 결정하는 기회이고, 둘째, 그것은 인류 우애와 평화를 위한 문화 축전이고, 에스페란토 문화를 강화하는 기회이고, 에스페란티스토들의 정신교육의 훈련 기회입니다. 셋째, 이는 일반 세계에 대하여 에스페란티스토가 살아 움직이는 실제 모습을 보여주고, 실물 교육으로 사회를 설득하여 에스페란토를 이해하여 받아들이도록 하눈 교육 캠페인(데몬스트레이션)이었습니다.

자멘호프는 첫째 과제에 대하여, 처음부터 항상 에스페란티스토들을 조직하자고 열망하고 노력해 왔습니다. 그러나 그것은 하루아침에 이루어질 수 있는 것은 아니었습니다. 그렇지만 언어란 본래 인간을 조직하는 것을 사명으로 합니다. 그래서 에스페란토도 인간의 새로운 조직화라는 점을 근본 임무로 하는 것입니다. 그러나 넓은 의미의 조직에는 외연적으로 막연하게 영향력을 확대하는 방향과 내재적으로 특정의 일을 위해 뚜렷한 힘을 결집하는 방향이 있습니다. 볼로뉴 대회[35]에서는 이 두 가지 방향으로 나아가는 중요한 결정이 이뤄졌습니다. 그 하나가 '불로뉴 선언'이라고 말할 수 있습니다. 즉 이는

"(1)에스페란토주의란 인간 개개인의 내면생활에 간섭하지 않고, 현존하는 모든 민족어를 배제하지 않으면서 다른 모든 민족의 사람들에게 이해 가능성을 높여주며, 민족들 사이에 언어 때문에 서로 싸우는 국토에서는 공공 기관의 평화의 언어로서 도움을 줄 수 있는 중립적 인류어를 전 세계에 보급하기 위해 노력한다.

(2) …과거 수 세기에 걸쳐 수 없이 만들어진 국제어의 시도는 단지 이론적인 시안에 지나지 않았다… 이론 논쟁으로는 어떤 목적에도 도달할 수 없다. 목적에 도달하기에는 실행의 노동으로 다가가지 않으면 안 된다. 누구나 다만 에스페란토 주변에 모여 이를 보급하는 일과 그 문헌을 풍부하게 하는 일에 종사할 수 있다.

에스페란토 운동의 언어상의 실제 경험은 언어학에서 취급되고 또 언어학의 연구 성과는 에스페란토에 취급되어, 각국의 민족어 관리, 교육 등에도 유익한 역할을 해 나갔습니다. 이렇게 하여 에스페란토는 세계 전반의 언어 문제를 해결할

---

35) *역주: 불로뉴쉬르메르(Boulogne-sur-Mer)는 프랑스 북부 도버 해협에 접한 파드칼레주의 도시로, 2009년 인구는 43,310명이다. 1905년 제1회 세계 에스페란토 대회가 개최된 도시이며 이 대회에서 '불로뉴 선언'이 채택되었다.

수 있는 하나의 열쇠가 되려고 하고 있습니다. 에스페란토 운동의 조직 문제의 성장은 더없이 중요한 것입니다. 그것은 인류의 전 언어가 자각한 사회의 조직적 관리를 통해 변혁되어 성장해가는 근간이 되고, 또 에스페란티스토 민중이 점차로 성장해 사회의 일원이 되어 가는 과정입니다. 자멘호프가 “하나의 큰 인류 가족”이라고 부른 이상이 실현해 가는 길입니다. 이는 큰 과제를 품은 채, 큰 곤란을 동반하고 있지만 큰 뜻을 가진 사업입니다. 자멘호프는 이를 “큰 인류 교육의 장”이라고 부르고 있습니다. 그곳에서는 매우 격렬한 조직 논쟁이 일어났습니다만, 그것에 의해 에스페란토는 살아 성장하고 인류의 사고가 훈련되고 교육되어 갑니다. 에스페란티스토들의 모임에 초대받은 벨기에의 어느 학자는 “이렇게 빈번하고 당당하게 의논을 하니 정말 살아 있는 것이다.”라고 느꼈습니다. 자멘호프는 “에스페란토 회에서는 가장 큰 소리로 말하는 것이 정당하게 되는 일이 없도록” 민주적 의사결정의 표결 원칙을 세우고자 노력했습니다. 그는 언어 작용의 본질을 깊이 이해한 조직자이고 교육자였습니다.

제2의 평화와 우애를 위한 에스페란토 민중의 축제 성질은, 매년 개최되는 에스페란토 연극, 문예 경연대회, 대회 대학 등으로 에스페란토 문화를 충실하고 풍부하게 하여 인류의 정서 교육에 점차 큰 역할을 달성하려는 취지입니다.

제3의 일반사회에 대한 실물 교육의 의미는 간단하게 에스페란토가 일반적으로 사용될 수 있음을 나타낼 뿐만 아니라, 실제 사용하여 사회의 각 방면에 도움이 되는 활동으로 발전해 가는 일입니다. 제2회 대회에서는 과학, 사회문제, 교육, 시각장애인 등 23개 부문의 전문 분과회의가 열렸고, 이것들은 또 점차 영속적인 전문 단체를 만들어 키워 갔습니다. 제4회 대회 때에는 세계에스페란토협회를 창립해 착실한 에스페란토의 실용을 통해 사회에 봉사하며 실적을 올렸습니다. 특히 제1차 세계대전 이후는 전문분야별로 국제회의가 빈번히 개최되었습니다. (교육대회, 상업대회, 신생활대회 등)

이러한 에스페란토의 실 사회화의 흐름 가운데 가장 크게 성장해 사회를 위하여 또 에스페란토를 위해서 실제 가치를 발휘하고 있는 분야가 노동 계층의 에스페란토 운동과 교육자들의 활동입니다. 노동 계층은 일찍이 에스페란토가 출현하기 10년 전, 제1차 인터내셔널 제2회 대회(1867년)에서, 노동자의 국제 단결을 위해 국제어 채용이 필요함을 결의하였습니다. 그 뒤 에스페란토가 나오자, 각국의 노동자, 사회 사상가들은 각각 국제 통신으로 이를 이용했습니다. 1903년에는 스웨덴에 노동자 에스페란토회가 생기고, 1906년 "해방의 별"이라는 국제규모의 단체가 만들어져 <국제사회평론>지를 내고 각국에서도 <노동자 에스페란티스토>라든가 <인민의 소리> 등의 잡지를 만들어 내고, 점차 노동자 에스페란토 운동이 활발하게 되고, 유럽 대전 후는 <해방의 별>, <노동자 에스페란티스토> 세계에스페란토협회 내에는 프롤레타리아 측 사람들을 중심으로 SAT(Sennacieca Asocio Tutmonda: 전 세계무 민족성 협회)라고 하는 노동 계층의 공동 전선을 위해 에스페란토를 사용하는 전 세계적 조직이 만들어지고, 각국에는 각각 노동자 에스페란토협회가 생겨, 국제 프롤레타리아 에스페란토 동맹으로 발전했습니다.

(3)에스페란토의 저자는 처음부터 영원히 이 언어에 대한 모든 개인적 권리와 특권을 포기하므로, 에스페란토는 물질적으로도 정신적으로도 누구의 사유물이 아니다. 이 언어의 물질

적 주인은 전 세계에 있고… 정신적 주인이라고 여겨질 이는… 이 언어에서 가장 나은, 가장 유능한 작가로 인정되는 인물이다.

(4)…. 에스페란토는 어떤 개인적 결정권자를 가지지 않는다. 저자의 의견도 다만 사적인 것으로, 의무적 성질을 갖지 않는다. 모든 에스페란티스토들이 의무적으로 받아들여야 하는 것은 『에스페란토의 기초』(푼다멘토 데 에스페란토: Fundamento de Esperanto)라 불리는 많지 않은 페이지의 저서 정도이고… 에스페란티스토는 다른 언어의 경우처럼 개인이 가장 적당하다고 생각되는 형식으로 표현할 자유를 가진다. 그러나 언어의 완전한 통일을 유지하기 위해서는 이 언어를 위해 좀 더 활동한, 또 그 정신을 좀 더 잘 아는 에스페란토 창안자의 문체를 배울 것을 모든 에스페란티스토에게 권한다.

이 『에스페란토의 기초』라고 이름 지어진 자멘호프의 작은 저서는 처음 16개 조항의 문법과 그 후 간단한 연습 예문집 "엑쩨르짜로"와 그가 선정한 최소한의 보통단어집 "우니베르살라 보르타로(Universala Vortaro)"로 구성되어 있습니다.

(5)에스페란티스토란 에스페란토어를 알고 사용하는 모든 사람을 일컬은 것이고, 그것을 어떤 목적으로 사용하든지 상관하지 않는다. 에스페란티스토 단체 가입 여부는 모든 에스페란티스토에게 가능한 권한이지, 의무 사항은 아니다."

라고 하는 내용입니다.

이렇게 해서 자멘호프는 최소의 의무와 최대의 자유를 조정했습니다. 이를 통해 에스페란토는 사회화를 진행해 갔습니다. 그는 한편으로 이러한 에스페란토의 외연적 넓은 조직의 방향을 진행하면서, 다른 쪽에서는 또 내재적인 에스페란토

사업을 위한 조직을 만드는 일에도 노력했습니다. 그리고 그런 목적에 자각한 활동적 에스페란티스토 동맹 조직을 제창했습니다만, 그의 취지는 사람들에게 단번에 충분히 이해되지 않았습니다. 대신 최소한의 기관인 언어관리 기관으로 언어 위원회와 사업운영기관으로 상설대회위원회가 성립되었습니다.

이윽고 이 2개 위원회를 위해 에스페란티스토 중앙 사무소가 파리에 세워지고 공식 보고와 기록 등이 발행되었습니다. 한편 각 나라에 설립된 에스페란토단체를 연락하는 결합기구도 성립되어 국제 중앙위원회가 생겼습니다.

제2차 세계대전 후 현재는 국제기관도 정비되고 보급과 실용 방면을 통일한 조직엔 세계에스페란토협회(Universala Esperanto-Asocio)가, 언어관리 방면은 에스페란토 학술원(Akademio de Esperanto)이 충실히 제 역할을 하고 있습니다.

*주: 그리고 국제노동 통신원 운동, 국제노동 구원 운동, 반(反)파쇼운동과 프롤레타리아 문화 운동 등에 도움이 되어, 인민전선 운동에서는 <포폴라 프론토>지가 스페인에서 발행되고, 단파 라디오방송에서도 세계에 호소하고, 반파쇼운동에 에스페란토가 활용되었습니다. 세계대전 후, 주로 사회주의 여러 나라에서 에스페란토의 활용이 빈번해지고, 근로자를 중심으로 하여 여러 민족의 국민 단결과 교육에 도움이 되어, 방송과 교육문화에 넓게 쓰였습니다.

앞의 제1차 세계대전 후의 큰 경향은 부르주아 지식 계층이 지도한 중립적 에스페란토 운동에서 프롤레타리아 에스페란토 운동이 점차 분리되어 계급의식을 확실히 하게 되었습니다.

제2차 세계대전 후는 이미 확실히 분리된 역사 발전의 선두에 섰던 프롤레타리아 계급의 입장에서, 일부 남겨진 계층을 공동 구원하는 신민주주의 방향으로 중립적 에스페란토 운동을 취하여 크게 통일된 모습을 보여주고 있습니다.

(2) 보프롱 후작의 배반

국제어 채용 대표자회의

파리에서 개최된 만국 박람회 기간 중 여러 분야에서 국제 학술회의가 열렸습니다. 그러나 그때 그런 회의에 참석한 각국의 학자들은 언어의 불편함을 크게 느껴, 국제공통어에 관한 관심이 점차 높아져 갔습니다. 에스페란토는 대체로 그런 사람들의 흥미와 노력을 끌어들여, 공동 목적을 위해 통일된 하나의 언어로 육성하여 풍부해지는 길을 열어 갔습니다만, 그래도 아직 곳곳에 흩어진 채 한 사람 한 사람의 흥미와 노력으로 만들어지고 있는 국제어 시안은 대충 알고 있는 것만으로도 60개나 되었습니다.

예를 들면 부자인 볼락은 자신이 제안한 "라 랑그 뿌르(푸른 언어)"라고 하는 세계어 시안을 선전하려고 만국 박람회의 한편을 빌어 사비를 들여 광고하였기에, 그 언어 계획안 자체가 불완전해도 사람들의 눈길을 끌었습니다. 언어 제안자들이 서로 다투어 자신의 안을 선전하자, 세상 사람들은 당황했습니다. 이런 방식으로 군웅할거의 양상이 되자, 어딘가 유력한 기관 예를 들면, 정부라든가, 권위 있는 학술 단체에서 가장 좋은 세계어를 심사 선정해 주면 좋겠다고 느끼는 사람들도 있었습니다.

파리의 철학자 꾸뛰라와 로-가 그런 분위기에 응하여 "국제 보조어 채용 대표자회"를 제안했습니다. 그리고 각국의 학술 단체와 주요 학자들에게 알려 찬성자를 모으고, 그때 창립된 국제학사원 연맹에 심의를 신청하여, 만일 받아들여지지 않으면 스스로 심의 회의를 열자고 제안하였습니다. 이 호소에는 307개 학술 단체와 1,251명의 학자가 찬성한 서명이 도착했고, 에스페란티스토도 많은 힘을 보탰습니다. 에스페란토가 제일 많이 보급되어 실제 사용되고 완전하다고 공감하기에, 이것이 채용될 가망이 제일 컸고, 에스페란티스토들 사이에서도 에스페란토 보급 방법으로서 지금까지와 마찬가지로 자신들의 힘으로 실적을 쌓아가는 것 외에, 권위 있는 기관에 의한 공인이라는 길을 강하게 여기는 사람들도 많게 되었습니다. 그래서 이 대표자회의 사업은 에스페란티스토에게 있어 재정적 지지도 받아, 찬성 서명도 많이 모으고, 정기적으로 보고서를 낼 수도 있었습니다. 그러나 국제학사원 연맹은 이 문제는 언어의 생명에 의해 자연스럽게 결정되는 것에 맡겨야 하고, 학사원 연맹은 결정할 권한이 없다고 하는 이유로 거절해 왔으므로(1906년) 대표자회는 스스로 심의 회의를 열게 되었습니다(1907년 1월). 심의 회의에서는 331명의 대표자 중 투표자 253명 가운데 242표로 12명의 상당히 유명한 학자들을 뽑았습니다. 심의 회의는 같은 해 10월 파리에서 18차례 열렸고, 세계어 시안의 각 제안자는 직접 본인이 오든지, 대변인을 출석시켜 설명하기도 했습니다. 자멘호프는 프랑스에 있는 에스페란토 보급회 소속의 보프롱을 대변인으로 뽑았습니다.

10월 24일에 열린 심의 회의는 에스페란토를 원칙적으로 채용하여, 상임위원회를 뽑고 다소의 수정 사항에 대해 에스페란토 측의 언어위원회와 협의한다는 결정을 내렸습니다. 상임위원회는 의장에 유명한 화학자 오스트발트를 정하고 언어학자 에스페르센, 보두엠르 꾸드뜨네가 있고, 게다가 서기엔르-와 꾸뛰라, 게다가 특히 유능한 사람인 보프롱이 더해졌습니다.

상임위원회는 꾸뛰라의 의견과 "이도(Ido)"라는 익명으로 제안한 안을 취합해 에스페란토의 수정안을 만들어 11월 2일 부로, 약 1개월 기한으로 자멘호프와 에스페란토 언어위원회에 회신을 요구해 왔습니다. 에스페란토 측에서는 자멘호프가 모든 결정권을 언어위원회에 넘겨 주었으므로, 언어위원이 전 세계에 60여 명이 되므로 급히 회답할 수 없었으므로 언어위원회 의장 볼락(디손 대학총장)은 '통지를 수신함'이라는 것만 회답하는 한편, 내부 의견을 모으는 일에 주력하고 있었습니다. 그 사이에 채용대표자회 상임위원장 오스트발트는 12월 14일 부로 "상임위원은 앞으로 자유스럽게 행동한다. 스스로 편리하다고 생각하는 형태로 공중에 호소할 권리는 보류한다."라고 성명을 냈습니다.

꾸뛰라와 보프롱의 책동

에스페란토의 언어위원장 볼락은 1월 7일 부로 "언어위원회의 투표 결과, 총 61표 중 대표자회 측의 개조 안을 전부 지지하는 사람은 8명뿐"이라는 것을 발표하고, 1월 8일 부로 "자멘호프와 언어위원회 대다수와 협의한 결과, 에스페란티스토들은 대표자회 측의 요구를 받아들일 수 없다"고 성명을 발표했습니다.

또 같은 날에 자멘호프는 "에스페란티스토 여러분 전체에게 알립니다."라고 하는 회신에서 이 사건의 전후 모든 사정을 알리고 "에스페란티스토는 분열 책동에 따르지 말고 충실하게 에스페란토를 지켜나가지 않으면 안 됩니다. 엄격한 통일을 통해, 전 세계의 신뢰를 받을 수 있을 것입니다."라고 호소했습니다. 자멘호프는 언어위원회의 투표 결정 뒤에도 아직 에스페란티스토 측에는 세계대회라는 곳에서 결정할 기회가 있으므로, 대표자회의 심의위원회가 요구한 바를 하나하나 에스페란티스토들에게 보이고, 최종 채택을 세계대회에서 하자고 기다려 달라는 교섭을 오스트발트 교수에게 계속 제안했습니다. 그러나 오스트발트는 그 언어위원회나 그 세계대회도 대표자회 심의위원회에 대한 어떤 권한도 없다고 하여 이를 받아들이지 않았고, 꾸뛰라는 이도 측의 "개정 에스페란토"를 선전하기 시작했습니다. 꾸뛰라는 이 대표자회 사업이 시작될 때, 자멘호프를 끌어들이기 위해 끊임없이 노력하며 편지를 주고받았으며, 그 자신도 에스페란토를 연구하여 1903년 『국제어 역사』라는 책을 써, 각종의 인공어 시안을 연구하여 에스페란토에 호의를 보였습니다. 그리고 꾸뛰라는 국제학사원연맹 같은 권위 있는 기관이 에스페란토를 채용했다고 결정되면, 에스페란토를 학교나 그 외 공공 기관에 보급하는데 몇 배의 힘이 된다며 자멘호프의 협력을 구했습니다. 그러나 학사원연맹이 심의를 거절하게 되자, 자멘호프는 계속 꾸뛰라에게 강력한 주장을 굽히지 않았습니다. 즉, 대표자회 자체 심의위원회에서의 채택만으로는 비록 에스페란토로 결정되더라도 세상에서는 그것은 에스페란티스토가 각색한 연극이라 생각할 것이니 효과가 없고, 채택에 탈락한 언어 시안의 발명자들은 불평을 품고 욕을 시작할 것이고, 만일 에스페란토 이외의 것이 채택되면 세상은 이미 실제 쓰고 있는 것은 에스페란토뿐이라고 믿고 있으므로, 실적이 있는 것이 채택되지 않고 다른 안이 결정되면 인공국제어에 대한 세상의 신뢰가 떨어지고, 국제어 문제가 언제까지나 해결되지 않을 우려가 있다며, 이것은 상당히 신중하게 해서 피해를 보지 않도록 조심하지 않으면 안 된다고 경고를 해 왔습니다. 그리고 만일 에스페란토에 부족한 점과 갖추지 못한 점이 있으면, 이는 실생활 속에서 지금까지의 에스페란토 토대 위에 방심하지 않고 새 시도를 실용해 봐서, 또 에스페란토의 언어위원회 결정을 통해 결정하면, 한 걸음 한 걸음 완전한 것에 가까워질 수 있기에, 외부로부터 개조 제안이란 형태로 강요를 받을 필요는 없다는 점을 주의 깊게 보였던 것입니다.

꾸뛰라도 이것에 대해 하나하나 이해하고 또 완전히 동의한다고 답해 왔던 것입니다. 그런데, 위원회에서는 꾸뛰라 일파가 자신들에게 유리하게 조성한 위원들을 중심으로 한 회의를 열어, 익명의 이도 씨가 제안한 개조 안을 안건으로 처리해 버렸습니다. 더구나 에스페란티스토 측의 언어위원회에 충분한 심의 기간도 주지 않고서, 그 개조 안을 가결하여 <개조된 에스페란토>라 이름을 붙이고 선전 활동을 시작했습니다.

이것은 국제어 운동 분야에 대파란을 불러 왔습니다. 꾸뛰라 측 사람들은 에스페란토 운동 내부의 불평분자와 함께 깊은 연락을 취하고 있었던 것입니다. 이도의 개조안은 라틴계의 자연어 언어 습관에 타협해 인공어의 규칙성에 여러 예외와 불규칙을 더한 것이기에, 다수의 외국어를 알고 있는 학자와 지식 계층의 사람들에게는 한눈에 알기 쉬운 것 같아도, 대중에게는 오히려 복잡하고 어렵게 되어버린 점을 에스페란티스토 대중은 파악하고 격렬한 반대를 표명했습니다.

자멘호프는 3월 29일부로 국제어 채택대표자회 심의회 측에 대하여 "개조된 에스페란토"라는 이름을 사용하지 말도록 요구했습니다. 그러자, 그들은 자신의 언어를 '이도'어라 하고, 그것을 지지하는 사람을 '이디스토'라고 부르게 되었습니다. 이디스토들과 에스페란티스토들 사이에 심한 논전이 시작되고, 언어 형태의 우열, 심의위원회 일 처리가 옳고 그름, 양파의 인물에 대한 인신공격까지 전개되었습니다. 에스페란토를 변호하러 심의위원회에 간 보프롱은 처음에는 개조파를 공격했습니다. 그러나 '이도라는 익명의 인물은 누구인가'라는 의심이 점점 커지자, 이어 마침내 더는 숨길 수 없게 된 보프롱은 스스로 "드디어 마스크를 벗는다. 실은, 이도라고 하는 것은 보프롱이다" 라고 자신의 이름을 들먹였습니다.

국제어 채택대표자회 심의회의 경과는, 사실은, 꾸뛰라와 보프롱 일파가 미리 계책을 꾸민 대규모의 책동으로 생긴 연극이었습니다. 보프롱은 훨씬 전에 스스로 '아듀반토'라고 하는 국제어를 만들었다고 합니다만, 에스페란토를 알고 아듀반토를 버리고 에스페란토를 지지하기로 정하고, 프랑스의 가장 초기 에스페란티스토들 중 한 사람이었습니다. 그는 1888년 이래 에스페란토를 보급하기 위해 활동하고, 처음 에스페란토 개조 논쟁이 벌어졌을 때, 개조 반대의 뜻을 취하였고, 1898년 프랑스에서 에스페란토 보급회를 만들어, 프랑스어로 에스페란토 선전 잡지 『레스페란티스토』를 발행하고, 에스페란토 교재와 화학 서적과 기도서를 내어, 20세기 서두에 특히 프랑스를 중심으로 한 에스페란토 운동에 매우 큰 역할을 했습니다. 사람들은 그를 자멘호프에 이어 제2의 아버지라든가 제2의 마이스트로(대스승)라고 불릴 정도로 중요한 인물로 생각하고 있었던 것입니다.

자멘호프도 그를 깊이 신용했습니다. 그러나 프랑스의 유력 학자들 사이에 에스페란토가 보급되자, 학사원회원 세벨과 뿌르레 교수에게 실제의 중심세력이 옮겨져, 보프롱의 세력은 없어져 버렸습니다. 자멘호프는 19세기 말의 반동의 역류 속에서 에스페란토의 뿌리를 가꾸었습니다. 그러나, 보프롱은 20세기 초의 문화부흥의 순풍 속에 가지를 키웠으므로 외견상 그의 공로 같아 보였던 것도 실은 그의 덕분은 아니었습니다.

유다의 키스

1906년 제네바 세계대회 석상에서 보프롱은 자멘호프에 대하여 충성을 맹세하고, 연극 같은 입맞춤을 했습니다. 보고 있던 뿌르레는 "유다의 키스"라고 중얼거렸습니다. 게다가 보프롱이 전에 만들었다는 세계어 시안의 이름 "아듀반토(보조자)"가 나타낸 것처럼, 그는 자멘호프처럼 언어를 인생 문제로 생각하고 있지 않고, 단지 편리함의 수단으로 취급하였습니다. 그 선전 방법도 프랑스어로 되어, 에스페란토가 쉽고 편리하니 에스페란토를 배우라는 방침이었기에, 그의 계통에는 에스페란토를 깊이 알지 못하는 에스페란티스토가 많이 와 있었습니다. 그리고 또 그는 에스페란토 운동의 진행 방식도 에스페란티스토의 나날의 노력을 통해 실적을 쌓아 가면서, 언어 실체를 키워 가는 자멘호프와 같은 방식이 아니라, 외부의 권위로 사람들에게 채택시키려는 방향으로 힘을 기울이게 되었습니다. 자멘호프가 실천한 밑으로부터의 민주적 방법과 보프롱이 실천한 위에서의 권위에 의한 방법에는 상당한 차이가 있었습니다. 이러한 보프롱의 성향이 꾸뛰라의 계획과 서로 가까워져 갔던 것입니다. 그들은 에스페란토가 이미 사회적으로 얻고 있는 신뢰를 가로채, 자신들의 안을 세상에 선보이려고 했던 것입니다. 채택위원회라는 외부로부터의 권위를 빌리고, 국제어 운동 전체 위에 자신들의 지휘권을 굳건히 세우려 했던 것입니다.

이 책동으로 인해 에스페란토 계는 크게 나누어져, 모든 잡지와 언어위원들 가운데 20% 정도는 이도 쪽으로 갈 것처럼 보였습니다. 그러나 처음 흔들렸던 사람들도 점차 에스페란토로 돌아와서 결국 3~4%가 분열해 나갔을 뿐이었습니다. 그것은, 언어 자체가 이도 쪽이 불필요하고 귀찮은 이론을 강요한다든지, 자연어 습관에 굴복하여 예외를 만들어 언어를 대중에게 어렵게 하고, 운동의 진행방법 또한 대중의 자주적 민주주의가 아니라 외부 권위에 의지한다거나, 일상 사용자의 창의가 아니라 학자들의 주관적 의견을 회의의 결정을 통해 강요했기 때문에, 근면하게 실제 국제어를 위해 계속 활동하던 대중으로부터 반발을 샀던 것입니다.

군인 없는 장군과 장군 없는 군인

이디스토 측에는 오스트발트 교수라든지 에스페르센 교수라든가 세계의 유명 학자들이 많고, 오스트발트가 노벨화학상 상금을 이 이도어 선전에 쏟아 넣었으므로 그 선전은 화려했습니다. 그래서 세상에서는 이디스토 측을 군인 없는 장군이고, 에스페란티스토 측을 장군 없는 병사라고 비평했습니다. 그러나 그 병사무리가 결국 이겼습니다. 그 뒤, 이디스토는 위원회 결정이라는 명목으로, 소수의 학자 의견에 따라 몇 번이나 그 언어 형태를 바꾸어 갔으므로, 그것을 배우는 사람은 계속 이를 따라갈 수가 없었습니다. 그 언어는 기초가 되는 문학과 그 외의 문헌을 만들어 쌓아 갈 수 없어 점차 쇠약해져 점점 마음대로의 개인적 개조 시안으로 분열해 갔습니다.

그러나 에스페란토 측은 변함없는 근본 위에 나날의 일을 쌓아 올려 부족하고 불완전한 것을 나날의 실용 속에 보충하고 성장해가며 독자적 문화를 구축해 갔습니다. 이디스토는 세계어의 설계도를 마구 주무르는 것과 세계어의 실제를 구축해 올리는 일을 잘못 이해하고 있었습니다.

이 쌍방의 방식의 차이는, 보프롱 측 사람들과 자멘호프의 인품에서도 확실히 나타나고 있었습니다. 보프롱의 비겁한 책동적 방식으로 인해 이디스토측의 중심인물 오스트발트도 매우 유감이라고 하고 있습니다. 이윽고 오스트발트와 에스페르센도 이디스토들과의 관계를 끊어버렸습니다.

자멘호프는 이 채택대표자회의 심의회의 개정안에 대해 가능한 한 민주적 방법에 따라 해결하려고 노력하여 개인적인 추한 싸움이 되는 것을 가능하면 피했습니다. 그러나 꽤 뒷날, 러시아 에스페란티스토 잡지 <에스페란토의 물결>의 주필의 요구에 단 한 번 언급했습니다.

"…주필인 당신뿐만 아니라 다른 사람들로부터도 자주 이 일에 대해 질문을 받았기에, 당신의 강한 요구대로 대답하겠습니다…이제 두 번 다시 이 문제로 나에게 입을 열지 않게 해 주십시오…

나는 꾸뛰라 씨가 계속 몇 번이나 단언했으므로, 완전히 그를 신임했습니다. 그가 순수한 의도로, 공동 협정을 위해 야심 없이 활동한다고 생각해, 마지막 바로 그 순간까지도 그가 어느 정도 생각을 숨긴 채 시도했다고는 생각조차 하지 못했습니다.

그의 단언으로, 그의 유일한 목적이 어떤 "큰 권위자"(전세계학사원 연맹)를 우리 운동 쪽으로 이끄는 것에 있다고 했고, 그것 때문에 그때 나는 편안하게도 잘못하였습니다만, 한꺼번에 우리 힘이 백배나 크게 될 것으로 생각하였습니다.

우리 중 어느 한 사람도, 단 한 순간이라도, 우리에게 숨어 그들이 불의의 일격을 가할 준비를 하고 있다고 의심한다든지, 한편으로 드디어 그들 중 꾸뛰라 씨가 이제 괜찮다고 생각하여 급히 음색을 바꾸어, "세계어론자 모두가 따르지 않으면 안 되는 최고의 권위자는 나와 나의 짝들이다. 너희들이 지금까지 고생해 완성한 것을 모두 버려라. 지금은 우리 명령을 따라 완전히 무엇이든지 하라"는 따위를 의심하지 않았습니다… 나는 개인 편지는 소개하지 않는 것이 바람직해, 그런 일은 하고 싶지 않습니다. 그러나 나는 7년간 침묵을 지키고 있었음에도, 꾸뛰라 씨와 그의 동료는 끊임없이, 나의 편지의 이쪽저쪽을 내 허락도 받지 않은 채 인용하여 그 의미를 왜곡하고 나를 공격하고 중상모략했습니다.

그래서 유감이지만, 나는 한 번만 꾸뛰라 씨의 편지의 한 구절을 인용하여, 세상 사람들에게 어느 정도 이 일의 진실한 경과를 알려야겠기에, 꾸뛰라가 나 자멘호프에게 보낸 편지를 인용하고자 합니다.

"친애하는 선생께,

나는 선생의 현명한 조언에 감사하고, 그것에 따르고 싶은 생각입니다. 그것은 우리 의도와 계획에 일치합니다…물론 우리 위원회는 상세한 일의 결정을 할 수 없습니다만, 우리는 그런 임무를 위탁하는 것 따위는 생각한 적도 없습니다. 위원회는 제일 먼저 선생께 상담할 것입니다. …우리 위원회는 모든 경쟁자 중에 에스페란토를 선정해놓았다고는 설명할 수 없습니다.(-이 말은 자멘호프가 미리 "선정"이라 하면, 다른 사람의 반감을 사게 되므로, "채택"이라고 해야 한다고 주의를 환기한 것에 동의했던 것입니다.) 위원회는 목소리 높여 에스페란토야말로 채택하여 실용할 만한 유일한 국제어이고, 모든 요구를 다 갖춘 것으로 입증된 유일한 것이라고 설명했습니다.… 위원회는 확실히 에스페란토를 지금 있는 그대로 학교와 공식기관에 채택할 것을 권장하고, 위원회는 빨리 그 채택 방침과 조직하는 필요 절차를 잡을 것입니다…

개조와 수정(대소와 관계없이)에 대해서는 선생께서 항상 주장해 온 신어(新語)로 취급하는 방법이 가장 확실한 방법입니다……"

자멘호프가 개조를 인정하고 있다든가, 그들의 개조가 자멘호프의 승인을 받았다든가 여러 뒤얽힌 해석으로, 억지로 의견을 끌어내 발표하는 것은, 실은, 자멘호프 자신은 그러한 개조방식을 인정하지 않았을 뿐만 아니라, 근본을 바꾸지 않고 부족한 점을 보충하는, 즉, 필요한 점은, 신어, 신용법(新用法)으로 실제 시도하여 그것이 점차 모두가 쓸 때, 언어위원회에서 결정하는 방법을 나타내고, 게다가 이를 꾸뮈라 자신도 이에 찬성하던 증거입니다.

자멘호프는 "…나는 항상 침묵하고 있었습니다. 그것은 어떤 종류의 사람들과의 논쟁에도 나는 휘말리고 싶지 않고, 또 나는 지금까지 그런 사람들의 양심도 언젠가 눈뜨게 될 것이고, 가령 그 사람들은 그 보기 싫은 행동을 후회까지는 하지 않더라도, 최소한 사람들에게 대한 욕설과 중상은 그만두었으면 하고 희망하고 있기 때문입니다. 결국 내가 더는 참을 수 없게 되어 얼마간 말해 버린 것에 용서를 구합니다…"

라고 말하고 있습니다.

이도 논쟁의 교훈

이것은 에스페란토 운동에서도 자멘호프에게 있어서도 매우 심각하고 괴로운 경험이었습니다. 이 때문에 국제어 사업은 손해를 많이 입었습니다. 그러나 이 심각한 경험을 통해 에스페란티스토는 많은 것을 배웠습니다.

...

만일 긴 가뭄이나 갑작스런 바람에
마른 잎들이 떨어지면, 우리는
그 바람에게 감사하며, 다시 깨끗해지
고 한층 신선한 힘을 얻는다.
우리의 용감한 동료는 죽지 않고
이제 바람도 침체도 무섭지 않으리.
시련에도, 단련되어 끈질기게 나아
가리, 한 번 정해진 목표를 향해서!
(자멘호프의 "길"에서)

Se longa sekeco aŭ ventoj subitaj
Velkantajn foliojn deŝiras,
Ni dankas la venton, kaj repurigitaj,
Ni forton pli freŝan akiras.
Ne mortos jam nia bravega anaro,
Ĝin jam ne timigos la vento, nek staro,
Obstine ĝi paŝas, povita, hardita,
Al cel' unu fojon signita!
(La Vojo)

조직은 진행되다

1908년 세계대회는 독일 드레스덴에서 열렸습니다. 이디스토들은 돈을 들여 신문에 광고하고 에스페란토가 개조되었다며 큰 소리로 떠들고 있습니다만, 이 해의 에스페란토 대회부터 정부의 공식 후원이 시작되었습니다. 작센 정부가 후원하고, 일본과 아메리카 정부가 대표를 참석시켰고, 국제적십자사도 대표를 보냈습니다. 일본 정부의 대표는 구로이타 가쓰미(黑板勝美)박사[36], 신무라 이즈루(新村出)박사[37] 였습니다.

36) *역주: KUROITA Kacumi (1874-1946). 일본 역사학자, 도쿄제국대학 역사학 교수. 일본 에스페란토 운동의 아버지로 불린다. 그는 1903년에 에스페란토에 입문해, 초기 일본 운동의 조직화를 위해 애썼다. 1906년 일본에스페란토협회의 창립자 중 한 사람이다. 1908년 그와 신무라 이도루가 드레스덴에서 열린 제4차 세계대회에 최초로 참석한 일본인이다. 그는 『에스페란토-일본어 사전』(1906)을 펴냈다.
37) *역주: Shinmura Izuru(新村 出,1876 - 1967). 일본 언어학자이자 수필가.

실력을 길러, 실적을 쌓아가는 자멘호프의 방식에 충실한 독일 에스페란티스토들은 그해 괴테(Goethe)의 제일 역작인 고전 비극작품 『타우리스 섬의 이피게니에』를 에스페란토로 공연하려고 했습니다.

그 번역은 자멘호프에게 부탁했습니다. 자멘호프는 아주 급하게 이것을 아름다운 운문체로 번역했습니다. 이것은 유명 전문배우 엠마뉴엘과 헤드비히 라이허 단체가 상연했습니다. 적십자사는 각국의 중환자들을 위해 의료대원이 에스페란토로 구호 활동을 벌이는 연습을 실천에 옮겼습니다. 이디스토들의 언어논쟁에 상대하지 않고, 에스페란티스토들은 자멘호프를 선두에 세워 사랑과 정의의 정신으로 에스페란토가 살아서 쓰이고, 사람의 정신과 육체도 고쳐 살도록 도움 주는 모범을 보였습니다.

이도의 분열 책동으로부터 에스페란티스토가 이겼습니다. 그러나 아직 그 상처는 충분히 치료되었다고는 말할 수 없습니다. 이 큰 사건을 통한 교훈을 충분히 짐작하여 성장하지 않으면 안 되었습니다. 그것은 에스페란토 계의 조직 정비와 실생활에의 실용 강화와 에스페란토 문화의 충실이었습니다.

이런 방면에서의 노력은 이미 이전부터 싹 트고 있었습니다만, 이때부터 에스페란티스토는 한층 자각하여 주력하게 되었습니다. 언어위원회를 충실히 변화시키고, 게다가 일찍부터 자멘호프가 주장하던 에스페란토계 전체의 자주적 조직의 구성 문제도 중요 과제로서 모두에 의해 진지하게 논의되었습니다. 에스페란토를 실용하는 사람들을 위한 봉사 조직으로 세계에스페란토협회(Universala Esperanto-Asocio: 네덜란드

로테르담에 본부가 있음)가 설립되었습니다. 이것은 이전부터 어느 정도 시행되었던 전 세계 주요 도시에 사는 에스페란티스토에게 에스페란토 영사(領事)의 일을 위임하여, 에스페란티스토들의 여러 문의에 대답하고, 여행의 수고 등을 수행하는 기관을 통일하고 강화해, 이를 세계에스페란토 협회로 실현했습니다. 이것은 헥토르 호들러(Hector Hodler)와 에드몽 뿌리바(Edmond Privat), 볼린브로크 뮤티 등 젊은 에스페란티스토가 중심이 되어 실현했습니다. 자멘호프는 자신의 이상이 이러한 형태로 실현되어 감에 기쁨을 느끼고, 그 창립총회에서 명예 의장의 자리를 수락했습니다.

이리하여, 자멘호프는 에스페란토 운동 전체로서는 이 언어가 각 사람의 실생활과 전문분야에 쓰이고, 자유롭게 성장해가는 것을 진행함과 동시에, 전체로서 언어위원회를 점차 충실히 하고, 또 에스페란토 전체의 자주적 조직의 성장을 희망하고 있었습니다. 그러나 그것은 에스페란티스토들 사이의 적당하고 유능한 각 사람들의 재능에 기대하고, 그 자신은 평소에는 바르샤바에 돌아가 매일 안과의사 일에 분발하면서, 매일 밤 에스페란토로 저술의 일과를 보내며 전력을 다했습니다. 세계 모든 나라의 에스페란티스토와 에스페란토회에서 보낸 편지에 격려의 편지로 답장해 주는 것도 큰일이었습니다. 상냥하고 친절한 안과의사라고 소문이 나서 밀어닥치는 가난한 환자는 매일 30~40명이었습니다만 그 수입은 다른 의사가 5명이나 10명의 환자로부터 받는 정도이었습니다. 자멘호프는 어쨌든 다른 사람의 신세를 지지 않고 잘 되어 갔기에 만족하고 일했습니다.

이 빈민가의 환자들은 이 선생이 어떤 사람인지도 모르고 모여든 것입니다. 일찍이 에드몽 뿌리바가 미국에서 강연하고 에스페란토의 큰 의의와 자멘호프 박사의 공로에 관하여 이야기했을 때, 청중 속의 어느 젊은 노동자가 놀라 물었습니다. "나는 바르샤바의 칫가 가에 살았던 적이 있습니다만. 그 친절한 안과의사 분이 …혹시 그 자멘호프 선생님입니까?"라고.

(3) 언어의 콜럼버스

자신의 밭을 갈아라

선천적으로 약한 자멘호프는 생활에 무리도 겹쳐, 40대의 나이에도 60세처럼 늙어 보일 정도로 몸이 쇠약해져 갔습니다. 매년 개최되는 세계대회에 참석하기 위한 여행도 즐거움이 아니었습니다. 이러한 몸으로 매일 하는 글쓰기가 그의 즐거움이었습니다. 세상 사람들을 설득하고 이해시키려면 입에 발린 말만으로는 안 된다며, 어떤 일이나 실행을 통해 보여주지 않으면 안 된다며, 이 점이 제일 중요하다고 자멘호프는 입버릇처럼 타이르고 있었습니다. 그리고 많은 에스페란티스토들도 "자신의 밭을 갈아라"라고 하는 구호를 걸고, 각자의 글짓기 작업을 계속했던 것입니다. 자멘호프가 남긴 저술은 에스페란토어학, 문학작품의 번역, 윤리 관련 논문 등 3부분으로 크게 나눌 수 있습니다. 그러나 이것들을 특별한 것으로 받아들이면 그를 정말 이해할 수가 없습니다. 그에게 있어 언어는 윤리인 동시에 예술이고, 예술과 윤리가 결국에 하나의 큰 언어가 됩니다. 윤리와 예술이 없고는 언어가 성립될 수 없다고 느낀 그는 세상에서 말하는 의미의 언어학자가 아니었으므로, 넓게 박식하다든지 이론가는 아니었습니다. 그러나 언어에 대한 깊은 지혜와 풍부한 애정을 항상 가지고 있습니다. 그래서 그의 언어에 관한 저서, 에스페란토의 『제1서』, 『제2서』, 그의 『추가』, 『에스페란토의 기초』, 『질의응답록』 따위를 음미해보면, 인간에 대한 깊은 신뢰와 존경과 애정이 배어 나오고 있습니다. 자각한 사람들의 방심하지 않는 공동 노동으로 문화가 성장해가는 그 길을 맑게 하는 태도입니다.

인류문화의 풍부함이나, 언어의 자유자재함에 대하여 대개 일반 사람들은 엉성하게 겉보기만으로 생각하기 쉬운 것입니다만, 문화의 총체 속에서 보면, 예를 들어, 분수를 보면 분모와 분자의 요소, 부채를 보면, 부챗살과 잠금쇠 같은 요소가 있습니다. 분모가 큰 숫자이면 그 분수는 겉보기는 크더라도 실제 가치는 작기에, 분모를 가능한 한 작게 하지 않으면 바르게 그 가치를 계산할 수 없듯이. 펼치는 부채를 예를 들면, 부챗살이 자유자재로 펼쳐지기 위해서는, 그 중심인 잠금쇠가 움직이지 않고 튼튼해야만 합니다. 자멘호프는 풍부한 문화에서도 분수의 최소 분모를, 또 자유자재한 언어에서도 부채의 움직이지 않는 요소인 잠금쇠를 찾아내었습니다. 그리고 이것을 『에스페란토의 기초』라고 이름 붙였고 이것을 움직이지 않도록 했던 것입니다.

세상 사람들은 어리석게도 분수의 가치를 크게 하려고 분자를 크게 하는 것이 아닌 분모를 크게 하려고 한다든가, 부채를 자유자재로 펼치려고 부채의 잠금쇠 부분을 움직이려 했습니다. 자멘호프의 언어 노력의 중심에는 분모를 최소화하고, 잠금쇠를 튼튼하게 하는 것이 있습니다. 다음에 자멘호프의 또 하나의 중요한 언어에 관한 저술인 『국제어의 본질과 장래』가 있습니다. 세상의 사람들도, 많은 에스페란티스토까지도 자멘호프가 일종의 새 외국어를 만들었다고 생각합니다만, 이것은 큰 잘못입니다. 에스페란토는 새로운 언어가 아니라, 이것은 무자각으로 어수선하게 변해가는 인류의 오랜 언어를 자각을 통해 올바른 질서를 가진 전 인류의 언어로 성장하는데 꼭 통하지 않으면 안 되는 통로이고, 옛 언어를 순화적으로 종합하는 것입니다. 그것은 전 인류의 창의를 자각하여 하나의 흐름으로 모은, 공동 노동의 운하인 것입니다. 온 인류의 세계어는 결코 그냥 모든 민족 언어가 모르는 사이에 뒤섞이는 것도 아니요, 강력한 권력을 가진 어떤 기관이 협의 결정하여 발표하는 형태의 것도 아닙니다. 그것은 사람들이 자각하여 자주적, 조직적 공동 노력으로, 일정한 방침에 따라 일상생활에 실행해 가면서 이론을 깊게 하고, 경험을 준비하여, 실적을 넓혀 가는 방향으로 실현하는 점을 나타냅니다.

에스페란토 운동은 그처럼 사람들의 힘을 통합하고 사람들의 자각을 깊게 하고 이론을 높여, 경험을 널리 알리는 조직적 교육사업입니다.

언어의 혁명

이것은 인류 사회의 생활 근저에 가로 놓인 언어라고 하는 큰 사회 요인의 혁명적 변혁 이론의 씨앗인 것입니다. 에스페란토는 세계의 주요 언어의 요소를 통합했습니다. 낱말은 근대 세계 문화의 대표 언어인 유럽 요소에서 취하고, 언어구조는 객관적이고 이성적 형태를 취해 첨가어로 정착했습니다. 그것은 동양어에 많이 있는 형태입니다. 세계 언어를 형태론적 특징에 따라 크게 분류하면 관용언어(포합어(抱合語[38])) - 원시 언어, 속어, 아동 언어, 경어법 등), 문법 언어(곡절어(曲折語[39])) -주로 서양 문화어)와 단어 언어(개립어(個立語), 첨가어(添加語)[40]) -주로 동양의 문화어)로 볼 수 있습니다.

에스페란토의 경우는 단어는 서양어 부분이 많고, 구조는 동양어적인 부분이 많아, 서양인에게나 동양인에게도 친숙하게 되어 있습니다. 원시 언어 성격인 관용언어 형태의 요소는, 의무적이 아닌 부차적 보조요소의 지위를 부여해, 그 의미를 깨뜨리지 않고 표현을 풍부하게 하는 자유스러운 면이 열렸습니다. (소리의 높낮이 흐름, 말 순서의 자유, 임의의 감탄어, 자유로운 어조사, 새 낱말 등). 실제의 인공세계어는 세계 인류의 사회 발전에 따라 언어의 사실 발전과 인공세계어 사상의 발전이 서로 만나 연결되어 성립한 것입니다.

세계의 모든 언어는 무의식적 인공어이고 그 속에서 모든 근대 국어는 절반은 의식적인 인공어이고, 에스페란토는 완전

---

38) *역주: incorporating language. 동사를 중심으로 그 앞뒤에 인칭을 나타내는 접사나 목적을 나타내는 말이 결합 또는 삽입되어 한 단어가 문장과 같은 형태를 취하는 언어. 에스키모어 등

39) *역주: 어형과 어미의 변화로 단어가 문장 속에서 가지는 여러 가지 관계를 나타내는 언어. 인도유럽 어족이나 셈 어족의 대부분.

40) *역주: 실질적 의미를 가진 단어나 어간과 문법적 기능을 가진 요소가 결합함으로써, 단어가 문장 속에서 가지는 여러 가지 관계를 나타내는 언어. 한국어, 터키어, 일본어, 핀란드어 등.

의식적 인공어입니다. 세계의 모든 언어는 각각 사용하는 사람들의 생활 폭에 반응하는 작은 세계어라 볼 수 있고(원시인과 어린이들은 무의식적으로 자신의 언어를 세계어라고 생각합니다. 그것이 다른 세계 언어와 맞부딪칠 때, 그때 처음으로 자신의 언어가 한 민족어에 지나지 않는다는 것을 알아차리는 것입니다.) 근대 주요문화의 모든 국어는 절반의 세계어입니다. (학술 세계, 산업 세계, 정치외교 분야 등의 세계어이지만 민중 생활의 세계어는 아니지만) 자기 세계의, 눈앞의 생활과 다른 세계와의 어떤 일이 있음을 알았을 때, 사람들의 머리에 세계어 사상이 생깁니다. 그것은 고대에서 발생했습니다. 인도의 브라만, 그리스의 로고스, 이데아, 중국의 도(道) 따위가 그것입니다.

고대 인도의 바라문의 문법 철학자 파니니[41]는 고전 산스크리트어를 확립해, 이 언어가 당시의 문화 세계의 세계어가 되었습니다. 중국에서는 표형(表形), 표의(表意)의 한자(漢字)가 발명되어, 고대 중세를 통하여 동양 지배자 계층의 기호(記號)적 세계어가 되었습니다. 서양에서는 표음(表音)의 알파벳 문자가 발명되어 서양 세계의 공통기호가 되었습니다. 세계의 종합 통일적 기호어(記號語), 즉 상형문자(象形文字)로서

---

41) *역주: 파니니(기원전 520년 ~ 기원전 460년)는 십육대국 시대에 활동한 고대 인도의 문법학자이다. 기존 베다 시대의 베다 산스크리트어 문법을 총 3,959개의 규칙으로 정리함으로써 오늘날 널리 사용되는 산스크리트어 체계인 고전 산스크리트어를 확립하였다. 19세기에 유럽 학자들이 파니니의 작품을 발견하고 출판한 이래, 파니니는 최초의 기술언어학자로 간주하고 있으며, 언어학의 아버지로 불린다. 파니니의 문법은 페르디낭 드 소쉬르, 레너드 블룸필드와 같은 기초 언어학자에게 영향을 미쳤다. (위키피디아에서)

서양에서는 "신(神)"의 개념이 발달했습니다.

세계어 사상은, 인도의 유식(唯識), 화엄(華嚴), 법화(法華) 등의 대승불교에도 나타납니다. 중국에서는 『춘추』의 대동사상, 『중용』의 동문동륜(同文同倫) 사상이 성립되었습니다.

서양에서는 피타고라스, 플라톤 등이 세계어 사상을 펼치고 있었습니다.

중세로 나아감에 따라 세계어 사상이 부자유한 '신'의 생활에 눌려, 좁혀지고 기형의 모습을 가져왔습니다.

그것은 애벌레가 나비가 되어 누에고치로 틀어박히는 것 같은 것입니다. 나비 모습의 세계어 사상은 "유일신(唯一神)" "칭명(稱名)" "삼밀(三密)" "인주(印呪)" "진언다라니(眞言陀羅尼)" 등에 그 모습이 보입니다. 이것들은 모두 물구나무선 채로 헝클어지고 굳어진 인공의 세계어입니다.

근세가 되자 헝클어진 것을 풀고, 나비가 껍데기를 부수는 움직임이 일어났습니다. 세계적으로 왕래가 잦은 예수회의 학승(學僧)들이 동양어, 동양 문화에 자극을 받아 인공세계어를 고안하기 시작했습니다. 그것과 나란히 계몽 철학자들이 세계어 연구를 시작했습니다. 중세의 기형의 세계어를 풀려고 하는 움직임입니다. 크루헬, 헤르만 후고, 데카르트, 라이프니츠, 코메니우스[42] 등이 그에 속하는 유명 인사들입니다. 예수회 사람들의 고안은 매우 많습니다만 신비한 기호와 암호의

42) *역주: 1592-1670. 체코슬로바키아의 세계적 철학자, 교육자, 종교개혁가. 언어 교수법을 혁신한 것으로 유명하다. 그는 유럽 문화에 관한 연구를 수월하게 해주는 방편으로 라틴어 학습을 옹호했다. 이러한 관점에서 <열린 언어의 문>이라는 저서에서 혁신적인 라틴어 교수법을 제시했으며, 이 책은 이후 16개 국어로 번역되었다.

성질을 갖고 있어, 나비 껍질을 완전히 깨뜨리지는 못했습니다. 그 흐름은 슐라이어의 볼라퓌크까지 계속되었습니다.

계몽 철학자의 흐름은 부르주아 혁명문화의 물결과 연결되어 성장하고, 교육사상가와 과학자의 시도도 많아져, 점차로 이야기 언어의 성질이 강해져 갔습니다. 크롬웰의 의형제로서 그 혁명에 참여한 자로서, 항공술을 고안한 윌킨스, 독일의 화학자이자 교육가인 베겔, 프랑스의 베르텔, 톤도르세, 콘티아구, 암벨 등이 유명합니다. 공상적 사회주의자인 후-리에, 과학적 사회주의 선각자 위고를 비롯한 사상가도 인공세계어 문제를 진지하게 취급했습니다. 17세기에 특별한 박학자라든가 사상가가 이런 생각을 하자, 18세기에는 많은 학자와 사상가가 이를 주목하고, 19세기가 되자, 학자들뿐만 아니라 일반인들도 많은 시도를 하니, 그 형태도 처음에는 기호의 형태인 것이 많았지만 점차 이야기 언어의 고안이 많아지고, 머리에서 고안해내는 형태에서 시작하다가 자연어를 정리, 개조하는 쪽으로 나아갔습니다. 에스페란토가 나타나기 전후에는, 누구의 생각도 대충 형태로 만들어질 때까지 그 문제는 성숙하여 갔습니다. 그러나 아직 거의 전부가 서재에서의 설계와 고안의 수준에 머물러 있었습니다만 대중적 보급 운동을 한 것은 프랑스 혁명 당시의 두루멜, 마이미에, 슐라이어 정도였습니다. 그런데도 대중의 창의에 신뢰하여, 집단적 관용을 통해 공동으로 완성하는 길을 선택한 이는 자멘호프뿐이었습니다.

대중에게 보급하는 운동이 일어난 것은 프랑스 혁명 이래 대중의 성장 물결을 느낀 것이라고 생각이 듭니다만, 슐라이어 같은 이들은 대중의 민주적 창의를 충분히 발휘시키지 못해 성공하지 못했습니다. 대중이 세계어의 수용자라는 생각은 하고 있었습니다만, 또한 대중이 그것을 만들어 가는 생산자임을 몰랐던 것입니다. 자멘호프는 생산자로서의 대중을 보기 시작했던 것입니다.

세계의 말의 종합

먼저 인터내셔날의 제2회 대회(1867년 9월)는 이렇게 결의했습니다. "본 대회는 공통세계어와 정자(正字)법 개정이 공동이익이자 인민의 단결과 우애를 매우 촉진하는 것으로 생각한다."라고

자멘호프는 이 시대의 이 기운을 직감하고 있었습니다. 그는 이 대중의 요구를 날카롭게 느낌과 동시에 인류의 세계어 사상의 전체 발전사를 그의 개인의 정신 성장사 속에 되풀이해 더듬어 갔기에, 그는 계속해 "아주 먼 옛 시대부터 이상가들이 꿈꾸어온 것의 실현"이라든가 "수천 년 동안 예언자와 시인들이 꿈꾸어 온 것의 실현"이라고 말했습니다. 그러나 주의해야 할 것은 "실현된"이라는 점에서 꿈을 꿈으로만 그치지 않고 현실로 만들어 내는 것, 나비 껍질을 부수는 것으로 그의 독특한 경지를 열어 간 것입니다. 대중의 창의, 대중의 실제 생산력을 깊이 신뢰하여 그 힘을 일깨워, 민주적으로 조직화하여 가는 것에 주력했던 것입니다.

그는 중세 용어로 소리쳐서 불러내 근대적 실행을 통해 안내했습니다. 그의 에스페란토는 서양적 요소와 동양적 요소를 연결했을 뿐만 아니라, 옛날과 지금, 문화의 뒤떨어진 요소와

발전한 요소를 연결하는 성질을 품고 있습니다.

이것은 더욱 주목할 만한 것입니다. 사람에게는 세계어란 지구상의 인류를 수평적으로 결합하는 것으로 생각하는 경향이 있습니다만, 그것보다도 인류의 뒤떨어진 사고방식을 끌어당겨, 인류를 수직적으로 종합하는 역할이 큰 것입니다.

그의 문학 저술은 어학적 저술을 보충해 어학에 살을 붙여 피를 통하게 하는 것입니다. 그것은 최소의 분모 위에 분자를 크게 해 나가는 일, 움직이지 않는 잠금쇠를 중심으로 자유자재로 말을 움직여 나가는 노력입니다.

예술적 창조의 정열을 통해야만 그의 언어는 살아나고 자랐습니다. 그의 원작 문학작품은 아주 약간의, 소박한 시 정도입니다만, 그의 언어는 실로 크나큰 인류의 희곡으로, 이 속에는 전 인류의 고민과 즐거움과 지혜의 대사를 말하고 있습니다. 사람들이 이 언어로 대단한 혼성 합창을 하도록 그가 지휘봉을 들었습니다.

세계문학의 에스페란토 번역

그의 번역 작품은 인류 전체의 예술을 그의 언어로 받아들여 그의 언어를 키워낸 것이기도 하지만, 그것은 또 그의 언어에 의해 세계적인 작품들을 참되게 완성하는 것이기도 했습니다. 셰익스피어의 『햄릿』, 고골의 『검찰관』, 괴테의 『타우리스 섬의 이피게니에』, 몰리에르(Molier)의 『조르주 당댕』, 프리드리히 실러(Friedrich von Schiller)의 처녀작 『군도(群盜)』 등 고전 희곡이 바탕을 이루고 있습니다. 근대유럽의 주요문화 국민의 대표 걸작을 뽑아 그것이 하나의 조직으로 훌륭한 체계가 생겨났습니다.

이것과 나란히 산문 작품의 체계가 있어, 찰스 디킨스의 『생활의 투쟁』, 폴란드 여류작가 엘리자 오제슈코바(Eliza Orzeszkowa)의 『과부 마르타』, 하이네(Heine)의 『바하라크의 라삐』, 근대 유대 문학의 대가 세롬 알헴의 『중학생』 등에서 그 체계가 성립되었습니다. 이것들은 사회적 문제에 대하여 깊은 반성을 불러일으켰던 것입니다. 그 외에 안데르센의 『아동동화전집』, 각국의 『속담집』이 있습니다. 이것을 산문이라고 말하기엔 무리인지도 모릅니다. 그것들은 아름다운 순수한 시입니다. 그 외에 하이네의 시 번역이 약간 있습니다.

자멘호프 주위에는 문학적으로는 좀 더 재능있는 무리가 모여 있어, 각각의 에스페란토 문학을 발전시켰습니다. 자멘호프의 남동생들 펠릭소와 레오노도 에스페란토를 배워 원작과 번역 작품을 발표하여 형인 라자로 루도비코의 일을 도와 성장해갔습니다.

에스페란토 문학을 크게 나누어 보면, 제1차 세계대전 전에는 세계 유명 고전의 번역이 주류를 이루고, 전후에서 제2차 대전까지의 사이에는 신흥 약소민족의 문학번역이 주류를 이루는 경향을 느낄 수 있습니다. 이는 더 나아가, 원작 문학이 성장하여 오히려 에스페란토 원작을 텍스트로 하여 여러 나라말로 번역되는 경향도 일어났습니다. 라자로의 또 하나의 큰 번역 역작은 『구약성서』를 히브리어에서 에스페란토로 완벽한 번역입니다. 이것은 그로서는 여러 가지 의미에서 힘을 기울였던 대 번역 작품이었습니다. 먼저 이것은 그가 유년시대에 그런 공기 속에서 자란 유대교 성전이자 동시에 그리스도교 성전도 되었고, 게다가 이것은 종교를 떠나 인류 문학으로서도 가치 높은 것이기에 특히 서양 문학사를 이해하기 위해서는 꼭 알지 않으면 안 되는 것입니다.

여기에는 하나의 민족, 하나의 문명이 성장하기까지 더듬었던 정신생활의 여러 가지 면이 나타나 있습니다. 그는 에스페란토가 인류 정신생활의 여러 면에 적합하기 위해 어떤 어려움 속에서도 인류 정신사의 큰 발달의 흐름에 이어가려고 노력했던 것입니다. 그에게 늘어가는 에스페란토 계는 하나의 민단(民團)이 성장해가는 모습입니다. 이 민단을 건강하게 키워 행복으로 인도하지 않으면 안 됩니다.

그의 모습은 모세 같았다고 사람들도 말하고 있습니다. 이집트의 노예였던 형제들의 민단을 하나의 신으로 연결되도록 계속 가르쳐 사막을 방황하면서 젖과 꿀이 흐르는 행복한 약속의 땅 가나안을 목표로 인도했던 모세와 하나의 언어로 연결된 모든 민족의 형제들을 평화를 목표로 인도하는 그의 모습에는 일맥상통하는 것이 있었습니다.

“성서의 번역은 누구에게나 어학 학습에 편리하므로”라고 태연하게 말하면서 그는 그냥 번역이 아니라, 그 자신 옛날의 예언자 같은 기분으로 그 언어를 에스페란토로 옮겨놓았던 것입니다.

그러한 그의 분위기를 어학과 문학의 형태 밑에 두려 한 것이 아니라 그대로 나타내려는 노력이 그의 윤리적 논문입니다. 그것은 그의 여러 저서의 서문과 세계대회 연설과 몇 점의 원작 시와 작은 책자와 비망록 등입니다.

가치와 실용

원래 라자로 자멘호프가 언어 문제를 평생 사업으로 하게 된 출발점은 인생관의 고민에서 나온 윤리 문제였습니다. 그는 예로부터 성현들이 실천한 가르침의 진수를 현실의 사회생활에 실행, 실현하는 길을 연다는 큰 신념을 가지고 있었습니다. 그러나 지금 세상의 한가운데는 인간의 육체와 정신을 살찌우는 농작물과 예술품이 정말 그 역할을 완수하기도 전에 금전으로 평가되고, 돈벌이의 수단으로서 흘러갑니다. 윤리적 저술인 그의 에스페란토도, 그 본래의 목적을 달성하기 전에, 우선 실용상 편리하고 유익한 기술로 취급되었습니다. 그것은 이 세상 한가운데에서 할 수 없는 일로, 자기 윤리만 연결해 자가 사용으로 붙잡아 두면, 그 목표로 하는 인류에게 도움이 되지 않았습니다. 우선 자기 윤리와 분리된 채, 세상에 나와야 했습니다. 그래서 그는 불로뉴 세계대회에서도,

"에스페란티스토란 에스페란토를 알고, 이를 사용하는 모든 사람을 가리키는 것이고, 어떤 목적에 그가 이를 사용하든 무관하다."

"에스페란토주의란 이 언어 사용을 전 세계에 보급하는 노력이고……. 에스페란티스토가 에스페란토주의와 연결된 여러 사상이나 희망은 그의 순전히 개인적 일이고, 그것에 대해 에스페란토주의는 책임이 없다."

라고 선언했습니다. 이것을 통해 에스페란토는 지금 사회에 충분히 보급되어, 여러 방면에 실제 쓰이게 되었습니다. 널리 사용되기 시작하자, 그 본래의 최종 목적이 달성될 조건이 생

긴 것입니다. 그러나 만일 에스페란토가 개인 일상의 눈앞의 이익을 위해서만 사용된다면, 그 본래 이유와 최종 목적은 서로 떨어져 버리게 됩니다. 이 일에 그는 마음 깊이 괴로워했습니다.

오늘날 세상에는 어느 일이나 그런 고민에 부딪힙니다. 교육도, 예술도, 과학도, 정조(情操)도, 나날의 노동도 모두 이러한 모순된 운명에 몰리게 됩니다. 이것들은 전부 사회적 가치를 지니고 있어도, 본래의 가치에서 떨어져 나가, 그 시대의 가치로 거래되고, 개인이 목적하는 바의 이익과 쾌락으로 취급될 수 있습니다. 그러나 여러 가지 일에는 그 시세에 의하지 않는 본래 가치가 있기에, 말 그대로의 시세가 성립되는 것입니다. 그 본래의 가치란 인간의 사회적 노동의 편에 서서 완성되는 것이지만, 에스페란토도 크게는 인간의 한 개 사회적 노동의 성과입니다. 이 에스페란토를 완성해, 성장해 보려는 인간의 사회 노동이, 몇 사람 정도의 간단한 개인 이익의 수단이 되어, 이를 정말 생산하여 키워온 사람의 수고한 보람이 없어져 버리는 것 같이, 세상의 현실을 그대로 인정하고는 굴복해 버릴 수 없었습니다. 노동하여 생산하는 사람으로서는 끊임없이 이를 항의하고 비판해 가지 않으면 안 됩니다. 그래야만 진실로 발전의 길이 있다고 그는 느꼈던 것입니다.

인공어 사상(人工語思想: 인간이 언어를 의식하여 생산하려고 하는 생각)은 언어 인공 사상(言語人工思想: 모든 언어는 의식 여부와 관계없이 인간에 의해 생산되는 것이라는 생각)의 당연한 발전입니다. 언어 인공 사상은 데모크리토스, 위고, 애덤 스미스, 엥겔스 등 옛날 대사상가들에 의해 발전해 왔습니다. 인공어 사상도 데카르트, 라이프니츠, 코메니우스, 유텔, 콘돌쩨, 암벨 등 대사상가들에 의해 발전해 왔습니다. 그러나 그 인공(人工:의식적 생산 노동)의 의미를 개인에서 출발해 의식적, 사회적 공동의 노동이라는 의미로 넓혀 포착한 사람은 자멘호프가 처음이었습니다.

인간의 언어 활동은 원래 개인과 사회, 육체와 정신을 연결하는 조직노동이고, 인류 사회의 생산적 노동의 일이자, 특수 분야입니다. 자멘호프는 언어 활동이 인간노동의 한 종류이고, 그것은 사회적인 어떤 것을 깊이 느끼는 것이라 여겼습니다. 따라서 그것은 가치를 산출하는 생산 활동임을 직감하는 것입니다. 그러나 그것은 세상의 상식적 언어관과는 상당히 달라, 아직 그것을 이렇다고 확실하게 나타낼 수 없었습니다. 특히 19세기 말경 부르주아 언어학자들은 언어의 기원 문제와 국제어 문제는 취급하지 않는다는 성명을 채택하여(파리 국제언어학회 결의) 인류 언어의 본질을 연구하는 일에서 달아나 버렸으므로, 전문 언어학의 술어는 천박하고 속되고 나빠져 자멘호프가 생각하고 있는 것처럼 언어의 본질과 가치에 관한 근본 문제는 세상 사람들이 이해하기 어렵게 되어 버렸습니다.

자멘호프는 현 사회의 천박한 언어관과 공리적 언어이용에 대하여, 언어의 사회적 생산자 입장에 서서 계속 항의하고, 싸워나가려고 했습니다만, 그에게는 아직 그것은 충분하고도 명료하게 또 강하게 할 수 없었습니다. 그것은 그가 아직 세계적으로 보아, 문화가 뒤떨어진 지방에서 태어나, 고립된 지식계급 가운데서 자라, 강렬한 반동세력이 압박하는 가운데

생활하여, 복잡하게 왜곡된 약소민족의 감정 속에 서 있었기 때문입니다. 이러한 복잡한 사정은 그에게 문제의 본질을 심각히 직감할 수 있는 박력이 되었지만, 그것을 이성적으로 표현하는 사상의 성장에는 불리한 조건이 되어 버렸습니다.

그래서 그는 이 깊은 직감을 계속 암시적으로, 옛 사상가의 말을 빌려, 조각 조각으로 상징적으로 표현하는 것에 그치고 말았습니다. 그러나 문화가 뒤떨어진 지대의 사람들은 그의 이러한 소박한 암시적 표현에 고무되는 일이 많았지만, 문화가 이미 발달한 지대의 사람들은 그의 유치한 용어 때문에, 그가 목표로 하는 것을 이해하지 못하고, 에스페란토 사업 전체의 의의를 범속한 것으로 지레짐작해버리는 우려가 있었습니다.

그는 에스페란토를 발표했을 때,

"국제어의 문제에서 나로서는 최선을 다해왔지만, 인류의 언어는 큰 문제이므로, 아직 언어의 더 중요한 방면을 빠뜨리고 있는지도 모릅니다. 여러분들이 제발 의견을 내고, 주의를 갖고 협력해 주시기 바랍니다."

라고 호소했습니다. 실제, 그 큰 문제는 남아있었던 것입니다. 그것은 "언어의 가치" 문제입니다. 그것은 언어의 실생활에서의 효과, 방법의 문제입니다. 이 일을 자멘호프는 알아차렸지만 확실히 말할 수 없었습니다.

그는 자신의 신변에서 가장 심각하게 느낀 민족 대립으로 인한 감정의 엉킴과 이성의 삐뚤어짐을 바로 잡는 일에 직접 관심을 가졌던 것입니다. 이 일은 의사로서의 그가 일반의사(全科)의 일에서 분야를 좁혀 안과 전문의가 되었던 일과 닮

아있습니다. 그것은 그가 내과 환자와 외과 환자를 구하는 양심과 능력이 없어서가 아니라, 양심이 있으므로 일의 분야를 좁혀 그 자신보다 좀 더 유능한 내과 의사와 외과 의사가 나타나기를 기대했던 것입니다. 그처럼 그는 언어의 본질론, 가치론, 인간의 사회성 따위를 한층 명확하게, 유능하게 해결하는 길을 권하는 사람들이 육성되기를 "바라며 기다리는 사람"이었습니다.

언어의 윤리

그는 언어의 자본주의적 인식, 공리적 사용을 강조하는 언어 생산자 입장에 항의하며, 언어의 윤리성을 강조해 갔습니다. 그의 이 주장은 결코 그냥 단순한 도학자적인 설법의 의미는 아니었습니다. 본래 의미의 윤리는 간단한 도덕 규범의 일이 아니라 깊은 사회성을 가진 것입니다. 이 의미에서는 과학도 예술도 윤리의 한 측면이고, 언어가 윤리의 바탕입니다.

이 의미를 나타내려고 자멘호프는 고심하여, 여러 암시적이고도 상징적 말을 반복했습니다. "신성한 사업", "성스러운 의의", "형태 없는 신비", "사랑과 진리의 샘", "세상을 다스리는 위력", "끊이지 않는 생명의 샘", "희망의 의의라는 위력", "내재(內在) 이념" 등.

새로운 사실에 당면하면서 옛말에서 찾아내어 나타내려고 했던 것입니다. 콜럼버스가 아메리카를 발견하고, 이것을 "인도"라고 불렀던 것과 같습니다. 그러나 자멘호프의 착잡함을 알고 나서, 그의 윤리적 논문을 읽으면, 그의 사고방식이 신비한 안개 속에서 그가 암시하는 새로운 문제를 밝게 힘차게 잡을 수 있을 것입니다. 그곳이 인도가 아니라, 아메리카 대륙임을 알게 되고 크고 넓게 가로놓여 있는 것입니다.

착잡함을 동반한 암시적 말투가 있어도, 자멘호프가 매년 열리는 세계대회의 개회식 연설에서, 세계의 에스페란티스토들에게 이야기한 말은, 조금 구식이기는 하지만, 깊은 애정과 지혜를 가졌던 늙은 아버지가 자식들과 형제들이 많은 가족을 달래고, 타이르고, 격려하는 모습이었습니다.

"에스페란토에는 그 속에 무엇인가 마음이 있는 것입니다. 사람들은 그 마음을 여러 가지로 해석하여 설명하고 나타내지만, 어쨌든 오랜 동지들이 이제까지 이 언어를 지키고 키워왔던 것은 눈앞의 이익 때문이 아니라 이 마음 때문입니다. 사람들은 이 마음 때문에 힘을 모아 방심하지 않고서 움직여 나아가야 합니다."

라고 하는 것입니다. 이 마음의 정체를 그는 우애와 정의라고 부르고 있습니다만, 그것은 언어의 사회적 가치에 대한 자각입니다. 사회 공동의 생산적 노동, 이것이 언어의 가치를 만드는 것입니다.

에스페란티스토들은 자멘호프의 암시적 가르침과 격려를 받아, 그를 아버지라고 불러 카라 마이스트로(kara Majstro:친애하는 대 스승)로 부르고 서로 우애의 정을 키워왔던 것입니다. 자멘호프는 에스페란토가 사회적으로 많은 사람의 자주적 공동 노동과 공동 관리를 통해 발달해야 하며, 개인이 지도한다는 것은 적절하지 않다고 생각해, 일찍부터 에스페란티스토 전체의 자주적 공동 관리에 맡기고, 자신은 하나의 개인 자격으로 오히려 일하고 싶다고 바라고 있었습니다만, 그런 기회가 충분히 성장하기까지는 자연히 그가 에스페란토 전체를 결합하는 인격적 상징으로 내세워졌습니다.

인류의 행복을 위하여

한편 그는 에스페란토가 단지 개인의 눈앞의 이익을 위해 보급되는 것뿐만 아니라, 그 사회적 가치도 깊이 부각하려면 무엇인가 구체적으로 인류의 행복을 위해 도움이 되는 일을 진행해야 한다고 생각했습니다. 그 시기가 왔습니다. 그것은 1912년 제8회 세계대회가 열렸을 때입니다. 이 대회는 에스페란토 발표 25주년 기념 축전으로서 에스페란토의 고향인 폴란드 옛 도시인 크라쿠프(당시 오스트리아령)에서 개최되었습니다.

이때의 개막 연설에서 자멘호프는

"이제 에스페란토 사업이 충분히 성장한 것은 의심하지 않으므로, 내가 오래전부터 마음속에 생각해 오던 바를 여러분께 부탁하고자 합니다…. 지금부터 나를 대 스승(Majstro:마이스트로)이라고 부르는 것을 그만하여 주십시오….

그리고 이젠 나의 지금까지의 역할을 그만하는 것을 허락해 주십시오. 이번 대회는 여러분이 여러분 앞에 나를 내세우는 마지막 기회가 될 것이고, 이 이후로는 내가 만일 대회 참석이 가능하다면, 단지 에스페란티스토 중의 한 사람으로 오는 것입니다…….

.....이제 나에게 <마이스트로>라는 말을 삼가십시오. 왜냐

하면 그 이름은 우리 사업을 부자유스럽게 할 우려가 있기 때문입니다…….”

라고 하여 그는 에스페란토 운동과 자신, 쌍방을 자유롭게 해방했습니다.

자멘호프가 취한 이 논법과 태도는 모두 일관된 입장으로 충분히 이해할 수 있어, 누구도 어떤 이유를 들어 반대할 수 없었습니다만, 오랫동안 그에 의해 인도되어, 그를 깊이 경애해 온 에스페란티스토들의 기분은 그런 논법을 받아들이지 못했습니다. 그 대회 참가자 중의 한 사람인 휫사는 그 말을 듣고는 곧 자리에서 일어나 말했습니다.

“우리는 성인이라 이제 아버지의 명령을 듣지 않을 나이입니다. 그래서 우리는 그분을 역시 에스페란토의 ‘아버지’라 부릅시다.” 그러자 참석자 전원은 언제까지도 그치지 않는 박수로 찬성의 뜻을 나타냈습니다. 그래서 전 세계의 에스페란티스토들은 모두 언제까지 더욱 깊은 경애심으로 그를 “경애하는 대 스승” “우리의 아버지”라고 계속 부릅니다. 그러나 그는 다음 해 베를린에서 열린 세계대회에는 완전히 개인 자격으로 아내와 딸들을 데리고 편하게 참석했습니다.

비

비가 내리고 또 내리고
부슬부슬 비가 내리네.
끊임없이, 끝없이, 멈추지도 않고
하늘에서 땅으로,
하늘에서 땅으로
빗방울이 부딪쳐 튀어 오르네.

내 귀로 그 빗소리를 통해 신비한 웅성거림이 스며드네,
나는 꿈꾸며 듣고, 공중의 소리가 뭘 말하는지 알아보려 하네.

그 소리에 그리움이 숨어 있는 것 같고. 또 그 속에 추억이 들려 오네…
가장 이상하고 슬프기도 기쁜 듯한 느낌으로 내 안에서 심장은 혼돈스럽게 뛰고 있네.

눈에 익은 옛 구름의 모습이
나의 추억에 되살아나는 것인가?
혹은, 구름에 숨어 있지만
어느새 나타나는 태양을 내가 꿈꾸는가?
이 신비한 기분을 나는 더 살펴보고 싶지 않네,
그냥 넋 잃고, 기쁨으로 조용히
나는 숨쉰다네.
뭔가 상쾌한 기분이 드네.
나는 상쾌함에 매료되네,
내 마음은 상쾌함이 이끄네.

Pluvo

Pluvas kaj pluvas kaj pluvas,
Senĉese, senfine, senhalte,
El ĉiel' al la ter', el ĉiel al la ter'
Are gutoj frapiĝas resalte.

Tra la sonoj de l' pluvo al mia orelo
Murmurado penetras mistera,
Mi revante aŭskultas, mi volus kompreni,
Kion diras la voĉo aera.

Kvazaŭ ia sopir'en la voĉo kaŝiĝas
Kaj aŭdigas en ĝi rememoro…
Kaj per sento plej stranga, malĝoja kaj ĝoja,
En mi batas konfuze la koro.

Ĉu la nuboj pasintaj, jam ofte viditaj,
Rememore en mi reviviĝis,
Aŭ mi revas pri l' sun' kiu baldaŭ aperos,
Kvankam ĝi en la nuboj kaŝiĝis?

Mi ne volas esplori la senton misteran,
Mi nur revas, mi ĝuas, mi spiras;
Ion freŝan mi sentas, Ia freŝo min logas,
Al la freŝo la koro min tiras.

(4) 성자의 꿈

은퇴

자멘호프의 물러남은 무엇을 의미할까요? 그는 한평생 버림을 통해 얻고 물러남을 통해 나아갔습니다. 그는 언어에서 불규칙성을 버리고 대신 상냥함, 명쾌함, 자유자재를 얻고, 에스페란토를 위하여 청춘을 버리게 되었지만, 에스페란토에 영원히 젊은 정열을 주었습니다. 그는 『제1서』에서 저작권을 버림으로써 에스페란토를 사회 고유의 재산이 되게 했습니다.

그렇지만 볼라퓌크의 슐라이어는 이것을 버리지 않았고, 베이식 잉글리쉬(Basic English)도 이를 발명한 오그덴(C.K. Ogden)이 일부러 특허권 등록을 했을 정도입니다.

"볼라퓌크는 조화처럼 하나하나 저자가 잎과 꽃을 만들어 붙이지 않으면 안 되는, 뿌리 없는 마른 막대와 닮았습니다. 에스페란토는 대중 속에서 뿌리내리고, 대중의 창조력으로 성장해 스스로 잎을 키우고 꽃을 피우는, 살아 숨 쉬는 나무와 같다."

라고 자멘호프는 말하고 있습니다.

그는 인간과 언어의 본성을 깊이 이해하고 있었으므로, 자유를 주므로 한층 바르게 풍부하게 발전시켜 나갈 확신을 했던 것입니다. 인간도 언어도 자유롭게 해방하면 무너지고 흩어지는 것이 아니라, 그곳에서 한층 높은 규율을 갖춘 성장이 가능함을 알고 있었습니다. 그는 한편으로는 완전한 자유를, 그것과 동시에 다른 쪽에선 조직을 강조하여 이론을 깊게 하는 방향을 취했습니다. 이 자유와 조직, 양면의 살아 있는 상호관계는 그 당시 에스페란티스토들에게는 잘 이해되지 않고, 그가 치켜든 자유의 길이 나쁘게 이해되거나, 조직의 노력이 몰이해로 묻혀 버린다든지 했습니다. 그러나 자멘호프의 언어와 인간에 대한 이해는 다른 사람들과는 다른 점이 있었습니다. 두 눈으로 사물을 보아야 깊이를 파악할 수 있는 것처럼, 세계어와 민족어로 사물을 생각하는 자멘호프의 머리는 언어, 인간, 세계 등을 실체적으로 파악하고 있었습니다. (보통 민족어와 세계어는, 사물을 생각해 내는 방식에서의 차이가 산술적인 것과 기하학적인 것으로 볼 수도 있습니다.)

그는 언어 보급이 언어를 사용하기 위함이요, 그 언어 사용에는 얇은 사용도, 깊은 사용도 있음을 알고 있었습니다. 깊이 사용하는 것에는 널리 보급하는 것이 큰 도움이 되고, 또 깊이 사용하는 방법을 알려면 얇고 넓은 사용법이 필요한 것도 이해했습니다.

그는 『제1서』 발행 이래 주로 얇고 넓게 보급하는 것에 주력하면서, 항상 깊이 사용하는 방향이 있음에도 계속 관심을 보였습니다. 이제 그는 이전부터의 희망이었던 깊이 사용하는 방법으로 전념해 나갈 결심을 했습니다. 그는 자신이 물러남으로 에스페란토 전체와 자신, 쌍방을 자유롭게 하고, 그의 본래의 목적을 위하여 에스페란토를 깊게 사용하려고 했습니다. 그것은 사람들에게 언어의 사회성과 윤리성을 철저하게 이해시켜, 인류 우애와 평화, 민족의 자유와 평등을 실현하는 교육사업입니다. 한 개인으로 바뀐 것은 에스페란토 및 그의 사회적 책임을 충분히 완수하기 위해서였습니다.

언어는 형식과 내용을 겸비해야 비로소 본래의 언어인 것입니다. 사람들은 언어라고 하면, 대개 발음, 문법, 낱말 따위의 형식이라 생각하고, 실체적 내용을 잊어버리는 경향이 있습니다만, 자멘호프는 항상 언어의 실체를 잊어버리지 않았습니다. 언어의 실체적 내용은 인간의 생활과 문화입니다. 앞서 말한 바와 같이 언어는 개인과 사회, 마음과 몸을 연결하는 특수한 조직노동입니다. 따라서 언어의 실체는 마음에 접하는 면과 신체적 사회생활에 접하는 면이 있기에, 마음에 접하는 면에는 "의의(意義)"가 성립되고, 사회의 실생활에 접하는 면에 "가치(價値)"가 성립됩니다. 의의란 인간 사상 정리의 결집입니다. 가치란 인간의 창조적(생산적) 활동의 조립입니다.

원초의 윤리

자멘호프는 표어로 끊임없이 "노동과 희망"을 입버릇처럼 말해 왔습니다. 노동이란 "가치"를 낳는 활동입니다. 희망이란 과거와 미래의 사상 매듭이고, 그것은 "의의"를 의미하고 있습니다. "의의"는 사상의 비교, 정리, 재조직을 말합니다. 에스페란토는 인류의 지금까지의 정신문화의 총결산을 의미하고 있는 것입니다. 총결산은 파산이 아닙니다. 지금까지의 자연어, 민족어에 의한 문화는 말하자면 장부에 매일 적는 계산서 같은 것입니다. 인공세계어의 채택은 문화 분야의 복식부기입니다. 인류의 모든 사상을 구분하여 부기 원장에 올려 결산하는 활동입니다. 세계 성현들이 가르쳐 준 진수를 상속하여 그것을 진실하게 생활에 현실화하는 것은 우리가 꼭 해야 한다고 하는 자각을 자멘호프는 가리키고 있습니다.

"가치"는 사회생활 속의 창조적 실행을 통해 생겨납니다. 실생활에서의 언어 실용이라고 해도, 단지 개인 개인의 천박한 이기적 이용은, 많은 다른 사람이 사회적으로 만들어 놓은 언어의 가치를 소모하고 낭비할 뿐이고, 그런 곳에서는 언어의 가치는 태어나지 않습니다. 사회적으로 창조적이고도, 의의 있는 활용이 되지 않으면 안 됩니다. 독선적인 쓸데없는 지껄임은 언어의 가치를 죽이는 것이 됩니다.

이러한 것을 자멘호프는 직감했습니다. 사회에서의 언어의 창조적 활용에도 산업, 과학, 예술, 교육 등의 여러 분야가 있고, 그 가운데 특히 그는 인류 일반의 사회성 교육, 언어의 윤리성 고양이라는 일을 완성했던 것입니다. 사람들은 보통 언어를 간단하게 개인 생각의 전달 기술로 생각해, 그것이 사회적 생산 활동의 일종임을 잊어버리는 경향이 있습니다만, 언어의 본질은 원래 사회적으로 창조적(생산적)인 것입니다. 동물은 본능에 따라 주워 먹고 생활하지만, 인간은 기술과 의식을 가지고 일을 계획하고, 분담 조직하여 물건을 만들어 내며 생활합니다. 그것은 마침 그 자리에 있는 물건을 주워먹음이 아니라 새로운 것의 생산입니다. 그것에는 언어가 꼭 필요합니다. 언어는 그 때문에 움직이고 이것이 바로 생산 요인입니다. 언어는 집단의 공동 이익을 위하여 진실을 전하는 데 좋게 하기 위한 움직임입니다.

언어는 문화의 단위이고, 과학, 예술, 윤리 등의 원소이자 세포입니다. 과학, 예술 등은 결국에 고도로 짜인 고차원의 언어에 지나지 않습니다. (물론 여기에서는 언어의 실체를 말하기에, 언어의 모습과 형식을 말하지는 않습니다.)

사람들은 언어가 원래 원초의 윤리임을 잊고 오로지 말로만 하는 기술이라 생각했습니다만, 자멘호프는 원초의 윤리로서의 언어 실체를 생각하려고 노력합니다. 동물에서 분리된 인간이 언어를 가지고 인간 자각을 얻었던 그 사실을 확실하게 마음 저변에서 생각해 내려고 했던 것입니다. 인간-언어-윤리, 이 관계를 끊어낼 수 없는 것으로서 실체적으로 마음 저변에 깊게 느끼고 있었던 것입니다.

룸비니 동산에서 석가라는 갓난아기의 첫 울음소리도, 베들레헴에서 예수의 울음소리도, 비알리스토크에서 라자로의 울음소리도 같은 울림이었습니다. 8만 4천 개의 법문도, 복음서도 묵시록도 결국 이것은, 바꾸어 말해, 주석(註釋)에 지나지 않는 것임을 알아차렸습니다. 종파와 인종으로 인한 편견과 신분적 차별 대우는 정리하지 않으면 안 된다고 결의했던 것입니다.

그래서 그는

세계 속에 새로운 정기가 생겨났다.
세계 속에 강한 외침이 울려 퍼진다.
…   (희망의 찬가) 라고

노래했던 것입니다. 이것은 태어나는 인류의 본원적, 강한 생활 감정입니다. 그는 또,

사랑과 진리의 큰 샘
변함없는 생명의 샘
사람들은 제각기 다르게 표현을 하지만,
마음에는 똑같이 느끼고 있는 그것이라 부르고,

형제여, 단결하여 팔을 서로 잡고
평화의 무기를 가지고 나아가자.
그리스도교인도, 유대교인도, 마호메트 교인도,
모두 우리는 신의 아들딸이다.
우리는 항상 인류 행복을 생각하여
장애를 뛰어넘고, 방심하지 않고, 굴하지 않고
우애의 목적으로 버티고 나가자
나가자, 앞으로 끝없이.
("녹색별 깃발 아래의 기원")

라고 노래했던 것입니다. 그는 이렇게 하여 원시적 생활 감각, 소박한 윤리 감정을 지니고서 에스페란토의 일을 지켜 키워갔습니다.

유대인 대학살

그는 이처럼 인도적이고도 소박한 윤리 감정을 키워 발전시키는 일에 정열을 기울여 갔습니다만, 그것은 소박하고 덧없는 세상 속에 아직 강한 영향을 가질 수는 없었습니다. 에스페란토 운동은, 그의 마음으로 말하자면, 넓은 일반적인 새로운 윤리 기구입니다. 인류 우애와 평화를 위한 축제로서 불로뉴 대회의 성공은 그에게 강한 감명을 주었고, 그의 인간교육 운동에 일보를 나아가게 하는 희망을 만들어 주었습니다.

한편, 1905년~1906년경에 그가 사는 러시아 제국에서는 생활이 매우 불안하고, 전쟁이 있고, 혁명이 일어나고, 탄압이 계속되고, 폭동이 있고, 비알리스토크를 시작으로 심각하고도 비참한 유대인 대학살이 전 국토에 걸쳐 자행되었습니다.

"…내가 태어난 불행한 마을에서는 야만의 인간이 도끼와 쇠몽둥이를 들고, 가장 잔인한 동물처럼 순진한 마을 주민을 덮쳤습니다. 단지 그 주민이 이 야만의 무리와 다른 언어를 사용하고 다른 민족종교를 가졌다는 이유만으로… 그 때문에 남자, 여자, 힘없는 노인, 힘없는 아이를 가리지 않고, 정수리를 깨고 눈알을 팠습니다. 나는 이 비알리스토크에서 자행된 야만의 대학살의 공포를 상세하게 이야기하고 싶지 않습니다. 단지 에스페란티스토로서 모든 사람에게, 우리가 싸우지 않으면 안 되는 민족 간의 벽은 아직 무섭고도 높고 두텁다는 점을 말하고 싶은 것입니다…" (1906년 제네바의 자멘호프 연설)

이 대학살은 러시아-일본 전쟁이라는 근대 제국주의 전쟁과 관련이 깊습니다. 일본과 러시아 쌍방은 모두 지배계급이 봉건 특권을 가진 채 자본주의를 받아들여 절대 국가를 만들어 서로 경쟁하여, 국외로 침략하고, 국내 인민을 억압, 착취하고 있었기 때문에, 국내에서는 불안과 혼란이 야기되었습니다. 특히 러시아에서는 그것이 심해, 전국적 반란이 퍼져, 페테르부르크에서는 노동자들을 중심으로 한 임시 혁명정부가 세워졌지만, 곧장 제국주의자들이 이를 탄압하였고, 전국적으로 반란의 물살이 거칠어져 갔습니다. 러시아 황제 정부의 관헌이 연이어 유대인이 혁명에 참여했다고 무지한 민중을 선동하자, 전국 각지에서 유대인 대학살이 자행되었습니다. 리투아니아, 우크라이나, 코카서스 지역이 더 극심했고, 비알리스토크를 시작하여 6월에서 10월까지에 전국 50개 지역에서, 학살이 725회, 사상자가 20만 명에 다다랐습니다.

자멘호프는 이제 가만히 있을 수 없었습니다. 어릴 때부터 몸에 밴 차별대우를, 인종 간의 증오를 원망했던 그는 증오 속에 인간의 본성을 추구하는 사회성에 대한 생각이 이르자, 사람들의 무지와 편견으로 인해 동지가 적이 되어버리고, 그 불행은 몇 배나 더 비통한 것임을 알게 되었습니다. 이러한 무지와 편견을 제거하려면 한시라도 꾸물대어서는 안 된다고 느꼈습니다. 그것은 우리 편을 우리 편으로 남게 하기 위한 제일 첫걸음이었습니다.

인류인(人類人) 선언

고립된 한 지식인으로서, 또 일생 끊임없는 차별대우와 강렬한 편견을 만나서 인종 문제에 강하게 신경 쓰고 있던 그는 넓고 깊게 자본주의 사회의 정치, 경제 기구를 간파하여 그 모순, 그 해악의 중심에 아직 가지 못했어도, 그는 그 나름의 입장에서 가능한 노력을 해야 함을 느꼈습니다. 그것은 당시 청나라-일본 전쟁, 비적단 사건, 보어전쟁[43], 러시아-일본 전쟁 따위와 끊임없는 인종 싸움의 명목으로 전쟁이 부추겨지는 것에 대하여, 인종 차이가 전쟁 이유가 되지 않음을 주장하는

---

43) *역주: 보어전쟁(Boer War) 또는 앵글로 보어전쟁은 아프리카에서 종단 정책을 추진하던 영국 제국과 당시 남아프리카지역에 정착해 살던 네덜란드계 보어족 사이에 일어난 전쟁이다. 제1차 전쟁(1880-1881), 제2차 전쟁(1899-1902).

노력이었습니다. 그리고 그는 사상과 정치에 관한 자신의 견해의 일보로서 "인류인주의(人類人主義)의 선언"이라는 논제로 윤리교육운동의 요강을 발표했습니다.

1906년에는 아직 그가 에스페란토계의 공적 지위에서 자유스러운 몸이 되지 않은 때이므로 익명으로 이를 내었고, 크라쿠프 대회에서 물러난 후 자유로운 한 개인 입장이 되자 1913년에 공개적으로 발표했습니다. 그 내용의 요점은,

"인류인주의란 순수한 인간성과 인종 간의 절대적 정의와 평등을 추구한다…"

"나는 인간이다. 그리고 전 인류를 하나의 가족으로 본다. 인류가 서로 적대적인 여러 인종과 민족 종교 단체로 나누어져 있는 것은 큰 불행의 하나라고 생각한다. 그것은 언젠가는 국민 간에 사라지지 않으면 안 된다. 이를 없애는 노력을 나는 가능한 한 진행해야 한다."

"나는 모든 사람을 단지 인간으로 본다. 그리고 사람은 모두 그들 자신의 개인적 가치와 행위에 따라 평가한다."

라고 한 것입니다. 그는 아직 현실사회를 끝까지 지켜보지는 않았습니다만, 인종과 국가로서가 아닌 인간 집단의 성원으로 자각하는 것을 목표로 하였습니다. 막연하고 일반적이면서도 사회를 생각하고 있는 것입니다. 그는 인류 가족이라고 하는 말로 사회의 일을 말하고 있습니다. 이상사회의 이상적 인간을 목표로 한 자각입니다. 그 자신이 억압받는 민족 가운데서 자라났으므로, 인간성을 충분히 해방하고 싶은 열망이 강하게 가슴 속에 불타고 있었습니다. 그런 이상에 도달하려는 방법에 대해 아직 충분히 구체안은 갖추지 않았기에, 우선

이 문제에 관심을 가진 사람들이 한 곳에 모여 더 깊게 내용과 방법을 토론해 보려고 했던 것입니다.

그러나 그것은 제1차 세계대전이 터지자 실현되지 않았습니다. 그는 대전 중에도 울만 박사와 이 대회의 개최를 준비하려고 상담을 계속하여, 병상에서도 쉬지 않고 이 인류의 윤리교육 운동을 위한 대회 소집 계획을 세워가다가 그만 별세하게 됩니다. 그는 중립인간종(中立人間宗)의 회당(會堂) 건설과 인종의 이름을 내세우지 말고 나라 이름을 채용할 생각을 하고 있었습니다. 인간종(人間宗)이라 하는 것은 종교적 외형으로 세워진 무 종교적 문화 운동으로, 그 내용은 과학과 양심에 합치한 신생활 문화를 창조하고, 자유 평등 우애 등의 사회 자각과 평화를 실현하려는 교육 활동이라고 보았습니다. 그는 "당신이 사람들로부터 대접받고 싶은 생각대로, 그 사람들을 대하라"고 하는 힐렐(Hillel)의 윤리적 가르침을 토대로 하여, 그의 방법은 여러 종교 종파의 교의 교조는 모두 종교의 본지(本旨)가 아닌 시대와 더불어 해소되는 것으로 보고 있었습니다. 그가 생각해 낸 종교의 본지는 사회윤리입니다. 결국 인의(仁義)를 토대로 한 생활 문화 교육을 생각했던 것입니다. 게다가 교육은 입이나 문자만으로는 안되고, 형태가 있는 새 생활 양식을 만들지 않으면 안 된다고 생각했습니다.

인종 이름보다 나라 이름을 채용할 생각은, 실은, 국토 위에 사는 전 주민의 평등권을 가진, 자유의 민주 사회 실현을 실제로 기대하기 때문에, 문제는 이름에서가 아니라 실질에 있지만, 눌러 찌그러져 복잡한 그의 머리에 이처럼 거꾸로 일어나고 있는 것입니다.

그의 교육적 문화 운동은 스스로 충분히 발전되지 못한 채 죽었습니다. 그것은 뒤떨어진 외형에 진보를 향한 정신 자각이 그 내용이라, 문화가 뒤떨어진 사람과 발전한 사람을 연결하는 노력이었습니다. 무지와 편견을 제거하는 이 교육운동은 자연히 보수의 쪽에 연결된 사람을 진보의 쪽으로 연결하는 것입니다. 그것은 간단치 않습니다. 그러나 문화 운동과 교육 사업은 본질에서 반드시 이 방향의 마음 씀과 노력이 필요하지만, 특히 에스페란토 운동에는 이 방면에 큰 사명이 있습니다. 진보한 요소 즉, 문화적이면서도 동시에 성장 단계의 사람들만 연결하지 않고, 진보에서 따로 떨어진 뒤처져 있는 요소까지를 진보의 쪽으로 연결, 인도하는 일입니다. 이 곤란한 일을 위한 고심이 자멘호프의 고민 속에 보입니다. 이 마음 씀씀이가 자멘호프를 크게 인류 가족의 아버지, 세계 인류의 위대한 시골 교사로서의 인격으로 만들어 갔습니다.

로맹 롤랑

저 위대한 인도주의자인 로맹 롤랑[44]도 자멘호프의 입장에 호응하여 『혼란을 넘어서』를 발표하여 세계에 호소하였고, 앙리 바르뷔스[45]는 『밑바닥의 빛』을 지어 자멘호프를 지지했습니다.

"지금 자기의 운명을 자각한 새 인류의 최초의 일, 그것은 만인에게 공통된 하나의 말을 채택하는 것이라야 됩니다. 그

---

44) *역주: Romain Rolland(1866-1944).
45) *역주: Henri Barbusse(1873-1935).

것은 하나의 내민 손입니다. 그 손이 그것을 찾고 있는 다른 손에 닿아, 그것은 혼이 담긴 악수가 됩니다. 그것은 그들의 공동 우애와 평화이고 공동작업입니다. 이 일은 전체로서, 태어나려고 열망하는 대단히 새로운 단체의 생활본능에서 나오는 자발적 창조입니다.

인류의 모든 혁명 속에서 세계어는 동시에 좀 더 평화적인, 좀 더 움직임이 있는, 또 무장은 좀 더 적게 하고서, 좀 더 유효한 혁명의 하나입니다. 그것은 정치적 혁명보다도 한층 분명하고 깊은 것입니다. 왜냐하면, 그것은 사회의 제약만 바꾸는 것이 아니라, 인간의 정신을 바꾸기 때문입니다. 그것은 자신도 모르게 새 신앙, 새 신(神)을 인간을 태운 차량 같습니다.…자, 새 신앙의 "깃발"을 세우는 그 언어, 인간이 단결한 대중의 "칼"을 내거는 그 언어, 그것은 이미 존재합니다……. 그 언어는 인류에 대한 사랑과 흩어져 있는, 같은 신도를 다시 모으려는 사도의 정열에 불타는 인간 천재, 영원히 이름을 남긴 자멘호프가 있었기에 만들어졌습니다. 그 에스페란토 창조자가 위대한 것은, 자멘호프가 단순히 인공어와 언어 운동의 고안자인 것이 아니라, 그가 껍질을 부수려는 번데기의, 동시대 인류를 만들어 내니, 뭔가 말로 표현하기가 어렵습니다. 그러나 그는 반대하기 어려운 열망, 강렬한 요구를 알아차린 선구자이자 완전한 해설자였습니다.……

지금 새 인류는 저 미켈란젤로의 아담처럼 눈을 떴습니다. 반나체를 일으키고, 자신의 몸 안에 힘과 욕망이 몸부림치는 것을 느낍니다. 그들은 모입니다. 그들은 사물을 말하고 싶습니다. 그들은 지금도 사물을 이야기하려고 합니다…. 자, 그대여 이야기하라, 속박당하고 압박당한 의지를 자유의 외침으로 폭발시켜라! 수백 만의 가슴에서 기쁨의 찬가라는 신성한 말을 외쳐라.

서로 껴안아라
수천 만의 사람들아,
수천 만의 사람들아, 껴안자.
이 전 세계의 키스를!
형제들이여!"

(로맹 롤랑) 라고.

자멘호프의 소박한, 중세적으로 남아 있던 인간 정신의 자각도 세계대전을 거친 지식인들과 대중에게는 새로운 이해와 강한 공명을 끌어냈습니다. 민족 간의 편견과 반감을 부추겨, 일으키는 제국주의 전쟁의 잔혹함을 경험한 인류는 전쟁의 진짜 원인을 제국주의의 본질에서 찾는 한편, 넓은 대중 간의 무지, 편견, 반감을 떨치고서 사물을 바르게 보고, 두 손을 넓게 연결하는 운동의 필요를 무엇보다도 강하게 느꼈습니다.

자멘호프가 열망했던 것처럼, 인류의 세계적 단결, 배타주의 배제 운동은 넓게 일어났습니다. 프랑스의 바르뷔스에 공감하는 사람들은 "구랄테(빛)" 운동을 일으키고, 아나톨 프랑스[46]에 공감하는 사람들도 "교육자 인터내셔널"을 지지하여 자멘호프의 "인류인 선언"을 채택하여 배타주의 배제라는 국제 대중교육운동을 전개했습니다. 자멘호프의 "인류인 선언"을 일찍 지지하여, 그것을 출판한 스페인의 만가다 로제네룬은 저 스페인 내란[47]을 당하고서는 각국 에스페란티스토로 구성된

46) *역주: Anatole France(1844-1924).

인민전선 군대를 지휘하여, 프랑코의 파쇼 군대와 완강하게 싸웠습니다. 인류 중 문화의 후진 지역과 발달 지역을 서로 연결해 진보를 향해 끌어당긴 에스페란토 정신은 대전 후 신 민주주의의 한 요인으로 더욱 유익하고 중요한 역할을 하고 있습니다.

(5) 죽음과 불사(不死)

파리대회와 세계대전

1914년 8월 제10회 세계에스페란토대회는 기념해야 할 만한 대회로서, 유럽의 문명 중심인 파리에서 성대하게 준비가 진행되었습니다. 세계는 발칸 문제와 모로코문제, 3국 동맹, 3국 협상 등의 국제 정세 때문에 급속도로 모든 인종, 민족 간의 적대심을 자극했습니다. 게다가 인류 우애와 평화를 위한 노력의 필요는 더욱 강하게 느껴졌습니다.

에스페란티스토들은 힘을 기울여, 인류 평화를 위한 데몬스트레이션으로서 대규모 행사를 치를 준비를 잘 했습니다. 전체 참가신청자 숫자는 3700명, 회의장인 고-몬 궁전은 초록 깃발로 장식되고, 참가자는 러시아, 독일, 영국 등에서 여행단을 조직하여 파리로 벌써 출발했습니다. 자멘호프는 올해야말로 인류인주의를 위한 대회를 만들어 보려고 준비하여 가족을 동반해서 독일의 쾰른까지 도착했습니다.

그때 바로 제1차 세계대전이 발발했습니다. 여기저기서 서

47) *역주: 1936년~1939년에 일어난 전쟁.

둘러 국경이 닫혀버렸습니다. 자멘호프 일가는 황급히 바르샤바로 돌아가려고 했습니다만 이제 국경을 통과할 수 없었습니다. 붐비는 기차에서 좌석도 없이, 제대로 먹지도 못하고, 가지고 다니던 짐마저 분실한 채, 베를린으로 돌아, 스웨덴으로 나와, 핀란드를 돌아, 페테르부르크에 가서 그곳에서 겨우 바르샤바 자신의 집에 올 수 있었습니다. 독일에 있는 친한 사람들은 그의 안위를 걱정하였고, 바르샤바 집에는 사람들이 부산하게 모이게 되었습니다. 자멘호프는 중립국의 에스페란티스토에게 편지를 내어, 친한 사람들의 안부와 잃어버린 휴대품의 행방을 물어보았습니다. 곧 독일군대가 바르샤바를 공격해왔습니다. 독일 비행선 체펠린[48]호가 칫가 가의 자멘호프 집 근처에 폭탄을 떨어뜨렸습니다.

바르샤바는 순식간에 독일군에게 점령당하고, 주민의 신경도 험악하여 흥분하고, 다른 인종들은 서로 의심하는 마음이 깊어지고, 마음을 터놓지 못한 채 대립의 분위기가 강해졌습니다. 자멘호프를 국제주의자라고 하여 나쁘게 쓴 신문도 있었습니다. 답답하고 불유쾌한 공기였습니다.

자멘호프의 오랜 꿈, 평화를 실현하려는 이상의 실천은 눈앞에서 산산조각이 났습니다. 연이은 과로로 그의 건강은 그때부터 완전히 나빠지기 시작했습니다. 그러나 그는 가만히 있을 수 있는 기분은 못되었습니다. 그런 세상을 보면서 평화

---

48) *역주: 체펠린 백작(Ferdinand Adolf August Heinrich Graf von Zeppelin: 1838-1917)은 독일의 발명가, 공학자이자, 군인, 외교관으로, 남북전쟁과 보불전쟁에 참가했으며, 체펠린 비행선의 개발자. (위키피디아에서).

를 되찾으려는 노력을 계속했습니다.

그는 1915년 말, 구약성서의 번역을 완성하여 타자기로 깨끗하게 작성했습니다만, 이를 출판해 줄 영국에 원고를 보낼 수도 없었습니다. 안데르센의 동화전집도 번역을 마쳤습니다. 계속해서, 독일어-에스페란토 큰 사전을 만드는 계획을 세웠습니다.

각국 에스페란티스토들의 편지왕래도 검열 때문에 에스페란토로 쓰는 것이 금지되었습니다. 남동생 알렉산드로 자멘호프도 의사였지만 러시아군대 군의관으로 소집되어 안부를 모를 정도였습니다. 형제 중 막내라서 모두가 제일 사랑하고 있었으므로, 걱정되어 꿈에 보이기도 하였습니다. 그도 일찍부터 에스페란티스토가 되어, 형을 도와 에스페란토로 의학 잡지에 함께 힘 쓰고 "인류인주의" 운동에도 힘을 기울여 주었습니다.

자멘호프의 장녀 소피아도 러시아령에서 여의사로서 일하고 있었으나, 연락을 취할 수가 없었습니다. 불행한 전쟁을 없애기 위해, 훨씬 일찍부터 좀 더 조직적으로 강하게 노력했으면 좋았을 걸 하며 마음을 꾸짖었습니다. 인류인 대회를 빨리 열기 위해 우선 문화인의 소집을 준비했습니다. 전쟁이 언젠가 마칠 것이라 여겨, 앞을 내다보고 써넣었던 행사 예정 날짜도 전쟁이 연장되니 바꿔야 했습니다. 날짜를 두 번 고치고 셋째 번에는 "전쟁이 끝나는 대로"라고 쇠약하고 떨리는 손으로 급하게 휘갈겨 썼습니다. 외국의 점령하에 있는 바르샤바의 일상생활은 고달픈 형편이었습니다. 식료도 부자유스럽게 되었습니다.

병상의 자멘호프

그는 심장이 약해서 가슴의 동맥에 장애가 생겨, 때때로 거친 호흡곤란이 일어났습니다. 그것이 점점 심하게 되어, 점차 몸이 쇠약해져 의사 업무를 하기 어렵게 되었을 뿐만 아니라, 그렇게 사랑하던 에스페란토 일도 할 수가 없었습니다. 부인도 많이 걱정하여, 칫가 가의 지저분한 집에서 소공원의 근처로, 조금은 공기가 좋은 프로레우스카 가로 이사를 했습니다. 가끔, 오랜 친구이자 에스페란티스토가 병문안을 왔습니다. 벨몽도 왔습니다. 1916년 말에는 중립국 스위스에 사는 쁘리바(E. Privat)도 멀리서 방문해 주었습니다. 자멘호프의 건강을 걱정하며 돌아온 쁘리바는 다음 세계대회는 자멘호프를 위로하러 바르샤바에서 열자고 제안했습니다.

친구 그라보브스키도 자주 방문해서 늙은 몸을 위로하면서 이야기를 이어갔습니다.

자멘호프는 점점 병이 깊어 가, 호흡곤란으로 인한 발작이 밤낮으로 일어나니, 편히 잠도 잘 수 없게 되었습니다. 이러한 괴로운 사이 사이에 기분이 다소 나아지면, 전쟁이 끝나면 실현하고 싶은 일들을 계획해 보기도 했습니다.

자멘호프는 독일어-에스페란토 큰 사전의 계획으로 드레스덴의 마리 헨켈과 편지왕래를 하였지만, 그 최후 편지는 결국 보내지 않은 채 남게 되었습니다. 1917년 2월부터는 더욱 병이 심해져, 부인 클라라는 거의 병상에 꼬박 붙어 간호했습니다. 그가 잠이 오지 않는 밤에는 쇠약한 몸을 일으켜 글을 쓰려고 하자, 부인이 말리면, 그는 "좋은 생각은 빨리 쓰지 않으면 내일 잊어버리므로"라며 부인의 말을 듣지 않았습니다. 4월 1일 바르샤바의 하항(河港) 사령관으로 부임하여 온 독일 에스페란티스토인 노이발트 소령이 방문했습니다. 그날은 자멘호프도 기분이 좋고 목소리도 활기차고, 유쾌하게 이야기했습니다. 그는 테이블 맞은편에 있는 부인에게 의자를 달라고 할 정도의 원기였으므로, 노이발트도 비스툴라 강의 얼음이 녹기 시작했으므로, 봄이 완연해지면 건강을 회복할 것으로 희망하게 되었습니다.

그러나 건강하다던 동생 알렉산드로가 전사했다는 소식이 닿자, 이 소식은 완전히 병약해 있던 자멘호프에게는 매우 큰 충격이었습니다. 그래서 병은 다시 극도로 악화하고, 4월 12일 노이발트가 길에서 그라보브스키를 만났는데, 그로부터 "자멘호프의 병세가 악화하였다"라는 말을 듣고 서둘러 병문안을 오지만, 이미 의사 지시로 면회가 금지되어 있었습니다.

죽음

자멘호프는 매우 쇠약해진 몸을 누이면 심장이 멈추기에, 안락의자에 앉은 채 괴로운 하루하루를 이어 갔습니다. 잠을 푹 자보고 싶은 마음이 들기도 했습니다. 오랜 병상에서 괴로운 발작과 불면의 밤에도 괴로움을 참아 내며, 결코 불평이 없었던 그도 "이제 이 고초를 당하지 않았으면 한다."고 말했습니다. 14일에는 어느 정도 기분이 좋아 주위의 사람에게 꿈의 생각을 이야기해 주기도 하고, 오랜만에 오늘 밤은 누워 잠잘 수 있을 거로 생각했습니다. 그리고 왕진 온 의사와도

장시간 이야기하고, 푹 자고 난 뒤, "침대처럼 만든 의자에 눕혀 달라."고 하여 그곳에 가서는 그만 잠든 채 이제 더는 일어나지 못했습니다. 부인이 침대 주변을 정리하려고 가까이 갔을 때는 이미 어떤 괴로움도 없이 숨도 쉬지 않았습니다.

1917년 4월 16일에 그의 장례가 행해졌습니다. 그를 아버지라고 추모하는 에스페란티스토들은 전 세계 방방곡곡에 있었지만, 장례에 참석할 수 있던 이들은 바르샤바 사람뿐이었습니다. 쓸쓸하게 이슬비가 내리는 가운데 소박한 장례는 유대인 묘지를 향해 나아갔습니다. 관 뒤로는 가족 외에 바르샤바 에스페란토 동지들이 따르고, 외국 에스페란티스토로서는 노이발트 소령과, 또 한 사람의 독일 동지가 참석하고, 묘지까지 1시간 반의 거리에 참석자가 보태졌습니다. 묘지에서는 성가대 단장 실스타 씨와 그 합창단이 기다리고 있고, 장례 행렬이 멈추자, 장송의 합창이 시작되었습니다. 이어서 바르샤바 회당의 전도자이자 철학박사 포즈난스키 씨가 자멘호프 박사가 의사로서 가난한 사람들을 위하여 바친 생애 등을 이야기하고, 마지막으로 장년의 오랜 친구이자 에스페란토 시인인 레오 벨몽이 1시간에 걸쳐 폴란드어로 자세히 자멘호프의 에스페란토 사업에 대한 경력을 말했습니다.

"삶과 죽음 사이의 신비한 문을 넘어서 그분은 평생 침착하게 사셨는데, 동시에 침착한 발걸음으로 불사(不死)의 세계에 들어갔습니다.

모범적 인물, 애정 깊은 아버지, 원만한 형, 진실한 친구, 근면하고 헌신적인 의사, 모두 늘어놓을 수 없을 정도의 고상한 시민, 이상할 정도로 상냥한 인품을 가진 인물이 죽어갔습니다. 단지 무정한 자연의 법에 따라 썩어야 하는 유해를 우리는 부모인 대지에 돌려주었습니다.…

그러나 루도비코 자멘호프는 천재적 정신, 지구상 모든 사람을 사랑한 저술의 창조자, 사람들을 서로 이해시키는 우애의 길로 이끈 예언자, 그분은 죽은 것이 아닙니다. 그는 영원히 죽지 않은 것입니다.…"

벨몽의 열성적 연설에 귀 기울이던 참석자들이 감동으로 목이 멘 채, 벨몽도 자신의 이야기가 자주 끊어졌습니다.

다음으로 자멘호프와 최초로 에스페란토로 인사한 적이 있는 그라보브스키가 마지막 인사를 위해 일어서서, 에스페란토로 이야기했습니다.

마지막은 노이발트가 서서 독일 에스페란티스토를 대표하여,

"우리는 게으르지 않고, 마이스트로(스승)를 모범으로 배우면서 에스페란토의 일에 최후까지 노력할 것을 다짐합니다."

라고 끝을 맺었습니다.

가난한 유대인 거리의 여자와 아이들이 늘 친절했던 그 정다운 안과 선생님이 죽었다며 울었고, 성가대원들은 관을 운구했습니다. 그 선생님이 그렇게 위대한 사람이었던가 하며 지금에야 가슴을 치게 되고, 그러니 한층 더 눈물이 솟구쳤습니다.

자멘호프의 죽음이 세계 각국의 에스페란티스토에게 알려지기까지는, 전쟁으로 늦게 그 소식의 도착에는 시간이 걸렸습니다. 이윽고 전 세계 방방곡곡에서 추도 모임이 열리고, 곳곳의 포로수용소에서도 슬픔의 노랫소리가 울려 퍼졌습니다. 에스페란티스토들은 자멘호프가 남긴 일을 지키면서 밀고

나가, 세계의 전 인류에게 진정한 평화와 자유와 우애를 실현하기 위해 굽히지 말고, 방심하지 말고 열심히 일하기로 마음으로 다짐했습니다.

대전이 끝나고 나서, 세계 곳곳에 자멘호프 기념비가 세워지고 많은 도시에 에스페란토 거리, 자멘호프 거리, 자멘호프 광장 등이 생겨났습니다. 매년 12월 15일 자멘호프의 생일에는 전 세계의 에스페란티스토는 "자멘호프 나스코(Zamenhof Nasko)"라고 하는 기념제를 지내며, 이날을 "리브로 타-고(Libro-tago 책의 날)"라고 하여 에스페란티스토는 반드시 에스페란토로 된 새 책을 한 권 사서 에스페란토 문화의 성장을 축하합니다. 매년 4월 1일~16일에는 각지에서 자멘호프를 추념하는 행사를 열어 그의 덕을 기리고, 각자의 사명을 새롭게 다지게 됩니다. 에스페란토는 제1차 대전 이전에는 학자와 지식인들에게 많이 보급되었지만, 대전 후에는 눈에 띄게 노동자 대중에 보급되어 일하는 민중 생활 속에 스며 들어갔습니다.

위대한 사람

라자로 루도비코 자멘호프는 작고 넓은 이마에, 머리가 벗겨진 사람이고, 회색의 짧은 수염을 가진 채, 평소 근시 안경을 쓰고 있었습니다. 1900년쯤부터 벌써 심장이 어느 정도 나빴던 것입니다. 일상생활에는 매우 꼼꼼하고 일마다 남에게 호감을 주는 점이 있고, 내성적으로 격식을 차리는 것을 좋아하지 않았습니다. 그리고 겸손하고 온후한 성품이지만 정의감이 깊은 사람이었습니다.

그는 결코 적을 경멸하지 않았으므로, 볼라퓌크의 슐라이어와 그 일파가 자신의 기관지에서 격한 논쟁을 하고 있어도 제1차 세계대회와 슐라이어의 80세 탄생기념일에는 세계어 사상의 선각자로서 그의 덕을 칭송하여 경의를 표했습니다. 제2차 세계대회(제네바)에서는 개정 라틴어를 만든 베아노, 그 외에 경쟁자인 많은 세계어 계획안을 만든 발명자들을 초대했습니다. 보프롱 일파의 이디스토가 배반하여 에스페란토 및 그에 대해서 심하게 욕하고, 되는대로 덮어씌우던 때조차 그는 최후까지 조리 있게 설득하려고 노력했습니다. 그것은 그가 강한 신념과 의지로, 인류와 언어에 대한 깊은 애정과 신뢰가 바탕이 되었기 때문입니다.

그의 가장 큰 장점은 이상을 위하여 모든 것을 거는 강한 의지, 이상의 실현을 위해 말할 줄 아는 끈질긴 인내와 버팀이었습니다. 그는 물질적으로도, 정신적으로 혼란하여 맹목적인 인류를 끝없는 사랑과 신뢰로 껴안았던 것입니다. 여기에서 그의 꿋꿋함이 생겨, 이 강함으로 인해 언어에 대해서도 깊은 이해와 주의가 고루 미치고, 자신과 다른 논적에게도 냉정하고 정정당당하게 대할 수가 있었던 것입니다.

“세계의식의 진실한 탄생은 에스페란티스토의 문학적 저술로 그 날짜를 적게 되었습니다. 국제어는 자유와 빛을 향한 문을 열어 줍니다. 국제어는 인류가 자신의 낡은 형식을 버리고 새롭게 성장하는 것을 가능하게 합니다. 에스페란토는 인류에게, 지금까지 남의 힘에 억압된 옛 궤변에서 벗어나는 부적을 제시한 것과 같습니다.… 에스페란토는 새 질서의 언어입니다.” (앙리 바르뷔스)

사람들은 그를 천재라고 불렀습니다. 그러나 이것은 생각 없이 그를 일반 사람들과는 매우 다른 사람이라 생각하고, 그의 본령을 잘못 보게 되는 우려가 있습니다. 천재라는 말의 본래 의미, 창출해 내는 혼이라고 하는 의미로 말하자면, 그는 특별한 천재는 아닙니다. 그는 결코 무엇인가 특별한 물건을 만들어 우리에게 쏟아부은 것이 아닙니다.

씨를 뿌리는 사람

그는 세계 모든 사람의 마음속, 생활 속에 잠자고 있는 힘을 불러 일깨우는 길을 열었습니다. 에스페란토는 그냥 만들어 인류에게 준 것이 아니라, 인류의 마음과 생활 속에 힘을 솟아나게 해 성장하고 움직이도록 그 자신을 희생하고 호소하여 불러 가까이 오게 했습니다. 만인의 천재를 신뢰하고 사랑하고 존경하고 그 활동을 기다리고 바랬던 것입니다. 그의 본령은 교육가입니다. 초등학교를 창안한 페스탈로치[49], 유치원을 창안한 프뢰벨[50]과 함께, 그는 교육가로서 가장 위대합니다.

그는 인류 언어가 쓰이는 모든 활동을 전부 교육의 장으로 받아들여, 인류 자각을 일상의 실행 속에 높이는 인류 교육을 창안했던 것입니다.

그는 모든 인간을 천재로 여겼습니다. 우리를 천재로 보았습니다. 그는 평범하고 순한 일반인입니다. 그래서 그는 인류

49) *역주: Johann H. Pestalozzi(1746-1827).
50) *역주: Friedrich W. A. Frőbel(1782-1852).

를 행복하게 하는 큰 힘이, 세상에 잠재하는 그 힘이 나타나기를 마음속으로 기다리고 희망하였습니다. 에스페란토, "기다리고 희망하는 사람"이라는 생각은 물론 눌려 찌든 불행한 사람들이 구세주를 기다리고 희망하는 메시아의 사상을 빌린 것입니다.

옛날 불행한 사람들은 구세주가 머지않아 언젠가 미래에 올 것이라고 기다렸습니다. 중세 사람들은 구세주가 미래에서가 아니라 다른 세계, 천국이라든가 사후 세계에 있다고 생각하였습니다. 그러나 자멘호프는 그처럼 옛사람들이 바라던 구세주는 미래나 천국엔 없고 눈앞의 이 세상에 있다고 생각했던 것입니다. 그래서 그는 "수천 년간 이어온 성자들의 꿈은 실현되었다."라고 선언했던 것입니다.

그것은 인간 공동의 일입니다. 인간의 사회생활이야말로 구세주라 여겼던 것입니다. 우리 공동이 정말의 메시아이자 그리스도인 것입니다. 우리가 천재이고, 구세주입니다. 자멘호프는 우리 자신의 생활을 바탕으로 천재성을 발휘하고, 자각한 공동 활동으로 오랜 옛 생활의 옷을 던져버리고, 새 세상을 만들기를 마음으로 희망하고 기다렸습니다.

라자로 자멘호프는 살아 있습니다.

라자로 자멘호프의 희망은 우리 생활 속에 살아서, 단단하게 성장하고 있습니다.

라자로 자멘호프가 뿌린 씨앗은 그 씨앗이 미치는 곳마다, 새싹을 틔우고 있습니다.

전혀 지치지 않고
한결같이 씨 뿌리고 또 뿌리자.
다가올 시대를 생각하며.
백 개의 씨알이 죽어도
천 개의 씨알이 죽어도
언제나 끊임없이
씨 뿌리고 또 뿌리자.
“에이, 그만해!” 하고 사람들이 비웃어도,
“중단하면 안돼, 중단하면 안돼” 라 다짐하자.
“끈질기게, 앞으로!
후손들이 축복해 주리.
그대가 참고 견디어 나가면.
(자멘호프의 “길”에서)

Ni semas kaj semas,
neniam laciĝas,
Pri l' tempoj estontaj pensante,
Cent semoj perdiĝas,
mil semoj perdiĝas,--
Ni semas kaj semas
konstante.
"Ho, ĉesu!"
mokante la homoj admonas,-
"Ne ĉesu, ne ĉesu!"
en kor' al ni sonas:
"Obstine antaŭen!
La nepoj vin benos,
Se vi pacience eltenos.“

(el La Vojo)

자멘호프 해적이

1858년 자멘호프의 아버지 마르크스, 러시아령 리투아니아의 비알리스토크 실과중학 외국어 교사가 되다.

1859년 12월 15일 라자로 자멘호프 태어난다.
1861년 (러시아 농노해방)
1864년 (폴란드 제2혁명)
1867년 (일본 메이지 유신. 제1차 인터내셔날 제2회 대회, 세계어와 표음식 정자법 지지결의)

1869년 자멘호프, 비알리스토크 실과중학에 입학
1871년 (보-불 전쟁 파리 코뮨)
1874년 자멘호프, 바르샤바 고전 중학에 전학
1878년 자멘호프의 세계어 시작품 완성 (12월 5일)
1878년 중학 졸업, 모스크바 대학 의과 입학(슐라이어의 세계어 "볼라퓌크" 발표)

1880년 (러시아 대학령의 개정, 학생운동, 학생대회가 탄압당함)

1881년 (러시아 황제 알렉산드로 2세 암살되다)
라자로 자멘호프 바르샤바대학으로 전학

1885년 대학 졸업, 의사면허, 지방 소도시에 개업

1886년 바르샤바에서 안과 개업

1887년 『에스페란토 박사 저 국제어(제1서)』 출판 (7월)

클라라 질베르니크와 결혼(8월)

1888년 뉘른베르크 세계어회 (세계 최초의 에스페란토회)

1889년 뉘른베르크에서 <라 에스페란티스토>지 창간(최초의 잡지)

1893년 그로드노 시로 이사함

1894년 『국제어 문고』를 간행(1894-1898)

1895년 <라 에스페란티스토>지에 톨스토이 논문 게재로 러시아 검열관에 의해 국내배포 금지되다.

<라 에스페란티스토> 폐간

<린그보 인테르나치아>지 스웨덴에서 창간(뒤에 파리로 이전, 제1차 대전까지 계속 발행.)

1897년 바르샤바에 돌아와 빈민가에서 안과 진료를 시작

1898년 보프롱, 프랑스에 에스페란토 보급회를 설립 <레스페란티스토>지 발행

1900년 중국 북청사변, 파리 만국 박람회

학술진흥회에 『국제어의 본질과 장래』를 발표(보프롱에 의해 강연)

1901년 (남아전쟁)

파리 아셋트 서점 자멘호프와 특약『자멘호프 교열 총서』간행(1905년까지)
에스페란티스토의 국제 친선모임 시작

1903년 스웨덴에 노동자 에스페란티스토회 성립
1904년 (러시아-일본 전쟁 개전)
영국-프랑스 해협 양안에 에스페란티스토 국제친선 모임

1905년 프랑스 불로뉴에서 제1회 세계에스페란토대회
언어위원회 성립(러시아 제1혁명)

1906년 러시아 반동 폭동, 유대인 대학살
자멘호프 익명으로 "인류인 선언"발표
제2회 세계대회(제네바) 23개 분과회의 열려 전문별 에스페란토 운동 활발해지다.
일본에스페란토협회 창립
아셋트 서점에서『라 레부오』발간 (제1차 세계대전까지)
자멘호프 세계문학번역 및 언어질의 응답을 집필

1907년 보프롱, 자멘호프를 배반하고 꾸뛰라와 공모, 이도의 이름으로 개조 에스페란토 선전을 책동하다.

1908년 세계에스페란토협회(UEA)창립
1912년 제8회 세계에스페란토대회(크라쿠프) 에스페란토 발표 25년 기념제

자멘호프 일체의 공직에서 은퇴

1913년 (인류인주의 선언)을 공표 (바르셀로나에서)
1914년 제10회 세계에스페란토대회(파리) (제1차 세계대전 개전)

1915년 자멘호프 『구약성서』완역
1916년 인류인 대회의 계획을 진행하다.
1917년 라자로 자멘호프, 바르샤바에서 서거(4월 14일)
바르샤바 영화관 "우라니아"에서 자멘호프 장송이 상영

1921년 세계노동자 에스페란토 운동의 대동단결 단체인 SAT 창립

1922년 에스페란토 국제교육대회(제네바)
1923년 라디오 보급 시작, 에스페란토로 방송 시작하다.
1924년 자멘호프 부인 클라라 사망(12월 8일)

저자 후기

정말 자멘호프 전기를 쓰기 위해 많은 세월이 흘렀습니다. 제2차 세계대전 후의 젊은 세대는 그 이름까지도 잊어버리고 있어도, 오랜 에스페란티스토는 우상으로 여기고 있습니다. 그러나 자멘호프의 생애야말로 오늘날 우리에게 주는 깊은 교훈이 풍부하다고 생각됩니다.

나는 자멘호프 "삶(vivo)"을 통해 지식뿐만 아니라 "생명(vivo)"까지 전해 보려고 했습니다. 진짜 "전기"라면 상세하게 조사해 솜씨 좋게 그려내야 합니다. 그러나 그냥 더 없을 정도로 칭찬만으로 꾸며진 것과는 달라야 합니다. "생명(vivo)"을 전달함은 옆의 구경하는 이나 단순 연구자로서는 어려운 일이고, 믿음을 지닌 이나 제자로서도 더욱 풀어낼 수 없는 일입니다. 예로부터 '사도(使徒)의 길을 걷고 뚫고 나아가지 않으면, 사도의 생명을 전할 수 없다'라는 말이 있습니다. 내가 그 본래의 "생명(vivo)"을 전하면서 얻은 것은 이루 말할 수 없습니다. 그것은 여러 사람의 힘을 모으지 않으면 안 됩니다. 그의 생명은 공동에 있으므로… 나는 그냥 제 힘껏, 힘을 다하였을 뿐입니다.

이 자멘호프 전기는 수많은 사람의 협력과 도움으로 완성되었습니다. 그 이름을 하나하나 들 수 없어 생략합니다만, 장년의 자멘호프 연구가 이와시타 준타로(岩下順太郎) 군은 풍부한 자료와 깊은 연구로 협력해 주었고, 멀리 떨어져 있는 저자에게 최초의 열의와 노력을 기울인 일본 에스페란토학회 회원 하시모토 마사노리(橋本政德) 군의 이름을 기록하는 것에 그칩니다. 그래도 다른 수많은 사람에게 고마움을 전합니다.

이것은 그 사람들의 공동 작품임을 말하고 싶습니다. 물론 아직 불완전한 점이 있음은 나의 힘이 미치지 않아서입니다. 그 책임은 제게 있습니다. 훗날에 완성할 것을 기약하며 노력하겠습니다.

그래도 이것이, 서툰 점이 있더라도, 읽고 살리는 것은 독자의 책임입니다. '생명(vivo)'이라는 것은 저자와 독자의 협력입니다. 독자 여러분의 협력을 기대합니다.

독자 여러분께서 그냥 읽어 지나치지 마시고, 저자 앞으로(東京都 文京區 本鄕 2-2-14 일본 에스페란토학회 내 저자) 여러 생각을 들려주실 것을 기다리고 있겠습니다.

저자 덧붙임

여러 독자께서 많은 열성을 보내주신 것에 깊이 감사합니다. 국제어 에스페란토, 그것을 좀 더 알고 싶다는 희망, 또 이 언어의 줄거리라도 이 책에 써 놓는 편이 좋겠다는 충고가 많았으므로 지금 증판 인쇄에 즈음하여 "간단한 에스페란토 문법 보기"를 첨가합니다. (더욱 증쇄 판에 즈음하여 인용한 시에는 모두 원문을 싣게 되었습니다.)

1959년은 자멘호프 탄생 1백 주년을 기념한 해였습니다. 에스페란토가 세계 만인의,일상의 것이 되면서도 그 창안자 자신의 이름은 잊히는 것을 염원한 자멘호프를, 우리는 세계에 불합리, 불평등과 몰이해가 있는 한 항상 생각해야만 합니다. 이 기념행사에서는 계층 없이 폭넓게 각국의, 각계의 지식인들이 이름을 하나로 합치고 호소해서 성대한 세계대회를 바르샤바에서 개최하였습니다.

자멘호프가 오래 살았고, 에스페란토 운동의 심장이었던 칫가 가는 제2차 세계대전 중 나치 정권이 자행한 유대인 학살의 무대가 되어 폐허로 변해 버렸습니다. 자멘호프 유족도 그 사건의 희생자가 되었습니다. 그러나 전쟁이 끝난 뒤, 재건하여 자멘호프 가로 이름이 지어졌습니다. 그곳에 인류의 심각한 불행과 에스페란토의 엄숙한 사명을 마음에 새기는 기념비적 땅이 되었습니다. 유네스코[51] 단체에서는 자멘호프를 교육문화의 공로자로 기념해 줄 것을 각국 정부에 통지했습니다. 또 그 유네스코 총회에서 에스페란토의 국제 문화교류 실적을 높이 평가하여, 유네스코의 평화의 이상과 일치한다고 결의했습니다.

자멘호프가 제안하고, 이에 호응하여 세계 민중이 함께 자주적으로 실행해 온 에스페란토가 나중에 공적(公的) 영역에서 교육 사업으로 발전하는 모범 사례가 되었습니다. 기념의 해를 앞뒤로 하여, 자멘호프에 관한 연구도 진행되어, 가치 있는 자료와 전기도 많이 나왔습니다. 그에 뒤를 이어 세계의 에스페란토 시인들이 원작 시를 모아, 시집으로 출판하기도 했습니다. 이럭저럭 국제어가 실생활에 사용됨은 실로 사람들의 마음속에 그 뿌리가 내렸다는 증명이 됩니다.

자멘호프의 유업은 간단히 국제어가 널리 사용되는 면뿐만 아니라 사상 면에서도 깊은 의미를 지니는 방향으로 늘어나고

---

51) *역주:(UNESCO)국제연합 교육 과학 문화 기구. 1945년 창설.

있습니다. 에스페란토 언어학이 성립되어, 모든 나라의 일반 언어연구와 언어정책의 발전에 기준을 만들어 주고 있습니다. 전자번역기의 출현은 에스페란토가 번역 분야에서 유능함을 실증해 주고 있습니다. 가정에서 에스페란토가 말하여지고 유아가 자연스럽게 배우는 사례도 늘고 있습니다. 가정의 국제성과 인간 형성에 에스페란토가 가치를 발휘하여 초등학교 교육에 에스페란토를 도입하거나, 세계 어린이 대회가 개최되고, 세계 어린이의 에스페란토 작품을 위한 잡지의 발간 등으로 발전하고 있습니다.

자멘호프가 직감한 국제어의 원동력 문제, 평화를 향한 열의는 식민지의 해방과 신흥 민족의 발전력과 연계되어 밝은 전망을 열고 있습니다.

아시아 아프리카가 세계사의 본 무대가 되고, 에스페란토도 새 단계에 들어갔습니다.

동-서-남-북 문화가 교착 상태에 빠지지 않도록 하는 것이 과제의 초점입니다.

1965년 여름에 기념이 될 제50회 세계에스페란토대회가 동경에서 열립니다.

(1965년 4월 25일)

저자 소개

이토 사부로(伊東三郎, 1902~1969)
일본 에스페란티스토, 농민운동가. 본명 宮崎巖. 필명 I. U.(伊井迂).

일본 오카야마에서 태어났습니다. 13세(1915년)에 오카야마 중학교에 입학한 그는 삼촌의 영향을 받아 에스페란토에 심취하여 교내에 에스페란토 강습회를 열고, 에스페란토 회를 조직, 활동했습니다. 중학교 졸업 후 오사카외국어대학(현 오사카 대학교) 불어과에 입학해, 학내 에스페란토 회를 조직, 활동했습니다. 그러나 재학 중 오사카 전기의 노동쟁의에 대학생으로 참여한 것이 문제가 되어 학업을 포기해야 했습니다. 21세(1923년)에 오카야마에서 열린 제11회 일본에스페란토대회 준비위원으로 활동했습니다. 23세(1925년)에 에스페란토청년동맹을 결성하였고, 1928년 국제문화연구소 설립에 참여했습니다. 24세(1926년)에 노농당(勞農黨)에 입당하여 정당 활동을 하였습니다. 27세(1929년)에 도쿄에서 일본 프로레타리아 에스페란토 동맹(JPEU) 조직을 주도했고, 이념적으로 이를 지도했습니다.

그는 일본에서 아주 드문 에스페란토 원작 시인이었습니다. 중국고전과 일본 고전 시가를 에스페란토로 번역하기도 했습니다. 29세 때 그의 원작 및 번역 시 작품인 『Verda Parnaso』(1931년, 도쿄)를 발간했습니다. 그 뒤 30세에 『에스페란토 학습을 시작할 때』(Komenco de Esperanto-studado en Japanujo (1932)를 발간했습니다. 이 속에는 역사, 문학, 언어에 대한 흥미로운 서술과 정확한 분석을 내놓았습니다. 1930년대에 농민운동에 참여하고, 전국농민조합(전농) 기관지 『농민투쟁(農民闘爭)』 창간에 주도적 역할을 했습니다. 일본의 만주침략(1931년)반대 운동, 농민운동 사건으로 투옥되기도 했습니다. 1945년 제2차 세계대전 종전 후에는 에스페란토 교육에 전념했습니다. 이 공로로 1956년 오사카 상(Premio Ossaka)을 수상 했습니다.

Kora Frukto	마음속 열매
Malantaŭ granda verdfolio jen sin kaŝas eta io. Oni ne rimarkis ĝin, sed kiel mamo de knabin', Malmole ŝvelis ĝi rondete nur modeste kaj sekrete, Ĝi ne floras elegante, nek odoras aromate, sed jam venis la sezon', ĝi maturas en burĝon', Floras, fruktas en samhor'. dolĉas figo en la kor'.	큰 초록 잎 뒤에 자신을 숨긴 작은 뭔가. 눈에 잘 띄진 않아도 소녀 가슴처럼. 단단하고, 둥글게 커가고 수줍게 몰래. 우아하게 꽃피우지 않아도 향기를 드러내지 않아도, 이미 때가 되었네. 꽃망울 속에 익어가. 동시에 꽃피고 열매 맺으니 달구나, 마음속 무화과. (Ombro 옮김)

저서로는 『자멘호프 에스페란토의 아버지(ザメンホフ エスペラントの父)』(岩波新書 1950년)『말의 역사(コトバの歴史)』(中央公論社 ともだちシリーズ 1952),『흑마 브란키(くろうまブランキー)』(堀內誠一畫 福音館書店 <こどものとも>傑作集 1967), 유고 시집 『높이 또 먼 곳으로(高くたかく遠くの方へ) 遺稿と追憶』(澁谷定輔, 埴谷雄高, 守屋典郎 編 土筆社 1974),『에스페란토란 무엇인가(エスペラントとは何か)』(伊東三郎,에스페란토논문집(理想閣 1976),『일본 에스페란토 학사 시(日本エスペラント學事始 伊井迂氏 강론집)』(武藤丸楠編 理想閣 1977),『왜 말은 통하는가(ことばはなぜ通じるのか)』(理想閣 1978) 등이 있습니다.
공저로는『프로에스페란토 필휴(プロレタリアエスペラント必携)』(오사카 겐지(小坂狷二) 공저, 鐵塔書院 1930)가 있습니다.

번역하고 나서

무수한 날갯짓은 한 번이라도 올바르게 비상하고자 하는 끊임없는 욕망에서 오는 것이 아닐까요? 부족함이 많음을 알고 있으면서도 서투른 몸짓 하나로 날갯짓해 봅니다.

사실 저는 에스페란토를 잘 알지 못합니다. 그것은 항상 가까이 있음에도 불구하고 쉽게 다가갈 수가 없는 묘한 것이었습니다. 부족한 식견 탓이라고 자신을 타이르면서도 매번 같은 생각에 머뭅니다.

그러나 에스페란토 그것은 가까이 있습니다.

자멘호프의 일대기 속에 잔잔한 파문처럼 퍼져 있는 그의 정신, 그의 사랑, 그의 정열, 그의 삶을 좀 더 많은 이들에게 알리고자 하는 마음, 또 이 국제어 에스페란토를 알고 있고, 알고자 하는 많은 이들에게 그분을 좀 더 아는 기쁨을 함께하고자 하는 저의 생각은 그분과의 첫 만남에서나 지금이나 변함이 없습니다.

또 그러한 생각들이 일본어 입문 시절, 어설픈 실력으로 번역한 것을 약간의 수정과 보충을 가하여 한 권의 책으로 만들어 보기에 이르렀습니다.

분명 시간의 흐름은 많은 것을 다른 위치로 옮겨놓곤 합니다.

그러나 그러하지 않은 많은 것도 우리 주위엔 있습니다.

이 첫 번역은 많은 시간의 흐름을 거쳐 또 많은 이들의 충고와 저 자신의 연마를 거쳐 좀 더 발전된 모습으로 다시 태어날 것을 약속하면서 미흡함 또한 절감합니다.

반면, 자멘호프의 그 끊이지 않는, 우리 세계에 대한 평화의 맥락은 항상 우리 곁에서 우리 자신을 풍요롭게 만들어 줄 것을 믿고 싶습니다.

이 기회를 빌려 음으로 양으로 많은 도움을 주었던 분께 진심으로 감사를 드리고 싶습니다.

역자 장인자 올림

역자 소개

창원에서 태어나 부산에서 학창시절을 보낸 역자는 1986년 동아대학교 일어일문학과를 졸업하고 1990년 계명대학교 교육대학원 일어교육과를 수료했습니다. 20여 년에 걸쳐 부산 해운대여고, 신곡중학교 등에서 특기 적성교사(일어)로, 현대외국어학원, 와세다 외국어학원 일본어 강사로 일했습니다.

역자는 가족의 따뜻한 배려를 바탕으로 일본어를 익혀, 청소년들이 이웃 일본과 일본 문화를 잘 이해할 수 있도록 하는 일본어 교육에 긍지와 자부심이 컸습니다.

역자는 결혼해 1남 1녀의 자녀를 키우면서, 교사가 학생들과의 소통이 원활하고 학습자 입장에 더 공감하면 교육 효과를 더 크게 얻을 수 있다는 것을 몸소 체험하며 실천해 왔습니다.

감수자의 한 마디

“자멘호프는 세계 모든 사람의 마음속, 생활 속에 잠자고 있는 힘을 불러 일깨우는 길을 열었습니다. 에스페란토는 그냥 만들어 인류에게 준 것이 아니라, 인류의 마음과 생활 속에 힘을 솟아나게 해, 성장하고 움직이도록, 그 자신을 희생하고 호소하여, 불러 가까이 오게 했던 것입니다. 만인의 천재를 신뢰하고 사랑하고 존경하고 그 활동을 기다리고 바랬던 것입니다. 자멘호프의 본령은 교육가입니다. 초등학교를 창안한 페스탈로치, 유치원을 창안한 프뢰벨과 함께, 자멘호프는 교육가로서 가장 위대합니다.”

-『에스페란토의 아버지 자멘호프』중에서

에스페란토를 학습한 오누이가 자멘호프의 삶과 에스페란토의 정신을 파악하려고 일본어판 전기 **『에스페란토의 아버지 자멘호프』**를 읽어갔습니다. 그래서 수수하게 1989년 한국어 번역본을 연구서로 발간한 뒤, 한 세대가 흘렀습니다.

저자 이토 사부로(1902-1969)는 13세(1915년) 때 일본 오카야마(岡山)에서 이미 에스페란토를 학습해, 중학교 학창시절부터 에스페란토 운동에 활발하게 참여하였습니다. 이 지자와 같은 에스페란토 선구자를 배출한 곳에서 제2차 한-일 에스페란토 청년 세미나(1983년)가 열렸습니다. 저는 대학 4학년 때 이 행사에 참석했습니다. 매미 소리 요란했던 오카야마에서의 세미나 일정이 어렴풋이 떠오릅니다. 1923년 그곳에서 일본에스페란토대회가 열렸습니다.

저자는 평생 에스페란토 교육에 힘써 왔습니다. 저자는 문어체가 아닌 구어체로 자멘호프와 에스페란토 사상과 실용, 활용성을 펼쳐 놓았습니다. 저자는 정성껏 자멘호프 관련 자료를 모아, 논리와 설득력을 갖추어 에스페란토 창안자 자멘호프의 삶을 펼쳐 놓았습니다.

역자와 감수자는 한국어 번역을 통해 저자의 뜻이 애독자 여러분께 제대로 전해졌을까 하는 일말의 걱정도 여전히 앞섭니다. 자멘호프와 관련된 서양 이름의 일본어 표기가 제대로 국어로 옮김에 어려움이 있었습니다.

역자 장인자는 에스페란토 첫걸음을 내디뎠지만, 일본어 학습과 교육에 더 관심을 많이 가졌습니다. 역자의 국어 번역본이 한 세대가 지나서도 감수자인 저의 서가 한쪽에 놓여 있어, 이를 다듬어 애독자 여러분께 에스페란토 창안자 자멘호프 박사의 삶을 다시 한번 이해하는 계기를 가져볼 용기를 갖게 되었습니다.

다시 번역본을 펼치면서 궁금한 사항은 우리나라 에스페란토계에 많은 친구와 지인을 둔, 일본 요코하마의 에스페란티스토 나카타 히사토(中田久人) 님에게 물어, 그분의 의견을 많이 참고했습니다. 이 번역을 허락해 준 일본 저자 가족에게도 다시 한번 감사의 말씀을 전합니다.

이 갈무리된 번역본 발간은 에스페란토 하는 오라버니가 일본어 교육과 자녀 교육에 헌신해온 역자인 누이에게 분명 깜짝 선물이길 짐작해 봅니다.

최근 3년째 들어선 ‘코로나 19’ 상황으로 에스페란토 운동에도 많은 어려움이 있기에 새로운 도전이 요구되는가 봅니다.
에스페란토 운동에 열성인 에스페란토 사용자라면 자멘호프의 삶은 여러 방면에서 우리 운동의 지향점을 찾을 수 있을 것입니다.
일반 애독자에게도 인공국제어 에스페란토를 만들어, 이를 보급하는 것을 평생 사업으로 펼친 자멘호프 박사의 삶은 많은 모범이 되리라 감수자는 생각해 봅니다.
애독자 여러분의 많은 관심과 질책을 기대하며 이만 줄입니다.

2022년 4월
자멘호프 서거 제105주기를 맞아
부산에서 장정렬.

La Espero

L.L. Zamenhof

En la mondon venis nova sento,
Tra la mondo iras forta voko;
Per flugiloj de facila vento
Nun de loko flugu ĝi al loko.

Ne al glavo sangon soifanta
Ĝi la homan tiras familion:
Al la mond' eterne militanta
Ĝi promesas sanktan harmonion.

희　망

자멘호프

세계 중심으로 새 정기(精氣) 들어서니
세계로 강한 부름은 퍼져 나가네.
그 부름은 순풍의 날개를 달아
이제 세계 방방곡곡으로 날아가리.

피의 칼을 향해 나아가지 말고
인류를 한 가족으로 이끌라는 그 부름은
언제나 전쟁하려는 세상을 향해
신성한 조화와 평화의 세상을 약속하리.

/부록/

간단한 에스페란토 문법 보기

Lingvo Esperanto, ĝia tuto elementa

발음과 문자

모음(a, e, i, o, u) 5개, 자음 23개.

일음 일자(一音一字), 일자 일음(一字一音). (소리 나는 대로 읽고, 읽는 대로 쓴다). 낱말의 악센트는 뒤에서 둘째 모음에 있는데, 강하고 길게 발음한다.

예: Esperanto estas arte farita lingvo internacia.
에스페란토는 인공국제어입니다.

알파벳(28자)

Aa Bb Cc Ĉĉ Dd Ee Ff
Gg Ĝĝ Hh Ĥĥ Ii Jj Ĵĵ
Kk Ll Mm Nn Oo Pp Rr
Ss Ŝŝ Tt Uu Ŭŭ Vv Zz

문장

에스페란토 문장의 어순은 주어-술어-목적어 또는 주어-술어-보어 순으로 파악할 수 있습니다. 주어-목적어-술어의 순서를 취하는 것도 허용됩니다. 전치사나 관사는 명사 앞에 놓이고, 의문문은 문장 앞에 의문사를 두고, 부정어는 부정하는 낱말 앞에 위치합니다. 말의 어순은 다소 자유롭다고 할 수 있습니다.

낱말

에스페란토 낱말은 주어-술어를 나타내는 주요 낱말들도 있고 (예; homo (사람이) estas(있다))와, 낱말들 사이의 관계를 연결해주는 보조 낱말들(예: al~에게, de ~에서부터)로 크게 구분할 수 있습니다. 그 주요 낱말에는 실질 의미와 내용을 담는, 형태가 변하지 않는 부분인 **어근**(語根: hom-, est-. 등)과 어법 형식을 드러내 활용하여, 형태가 변하는 **어미**(語尾: -o, -as 등)가 있습니다. 어근은 대체로 유럽어의 여러 언어를 종합 정리하여 취한 것(예: pan-빵, lamp- 램프, patr-아버지, grand-크다)이 많습니다.

접두사, 접미사를 활용해 적은 수효의 어근을 바탕으로 수많은 낱말(파생어)을 만들 수 있습니다.

예를 들어 patr**in**-어머니, **mal**grand- 작다 등.

수동태나 능동태를 나타내는 접미사는 다음과 같습니다.

구분	수동	능동
과거	-it(~된)	-int(~한)
현재	-at(~되고 있는)	-ant(~하는)
미래	-ot(~되려고 하는)	-ont(~할 예정인)

어미 :논리적인 일정한 소수만 있습니다.

동사 어미	-is(과거), -as(현재), -os(미래), -us(가정법), -u(명령법), -i(동사원형)		
부사 어미:-e (방법)	형용사 어미 : -a (성질, 모습)	명사 어미: -o (실체)	복수: -j, 목적격 어미: -n (형용사, 명사에 사용)
laboru	일하라	labori	일하다
laboris	일했다	labore	일하면서, 일하러
laboras	일한다	labora	일하는, 일의
laboros	일할 것(예정) 이다	laboro	일, 노동, 근로
laborus	일하려 한다면	laboron	일을, 노동을

명사와 형용사는 수와 격을 일치시킵니다.
예)bela floro(아름다운 꽃), belaj floroj(아름다운 꽃들), belan floron(아름다운 꽃을),
belajn florojn(아름다운 꽃들을).

목적격 어미는 타동사의 목적어임을 나타내거나, 방향을 나타냅니다.
Patrino amas infanon.(어머니는 자식을 사랑하신다.)

감탄사
말하는 이의 감정(기분)을 나타내는 말로 감탄사가 있습니다.
예를 들어, ho(아하, 오호라), ja(정말) 등이 있습니다.
사정을 나타내려는 **부사**도 있습니다.
nu(저기요, 그런데), jes(그래요, 그렇습니다), ne(아니오, 아닙니다) 등.
낱말이나 문장을 연결해주는 **접속사**로는 kaj(~와, 과) aŭ(~혹은, ~인지) 등이 있습니다.
사물의 관계를 나타내는 **전치사**로는 al(~에게), de(~의, ~로부터), en(~에서, ~안에서) 등. 논리 관계를 설명하는 **상관사**로는 kio(~라는 것은), kia(~그러한), kial(~한 이유로) 등.
지시나 한정의 관계를 나타내는 품사(관사, 수사, 대명사)도 있습니다.
관사는 la(그)가 있지만, 부정관사는 없습니다.

수사
unu(1), du(2), tri(3), kvar(4), kvin(5), ses(6), sep(7),
ok(8), naŭ(9), dek(10), cent(100), mil(1,000),
dek du(12), tridek(30), mil naŭcent kvindek kvin(1955),

unua(제1의, 첫), due(둘째로), trio(셋이 한 묶음)
-on(분수), -obl(배수), -op(집합수)

대명사

mi(1인칭 단수: 나), ni(1인칭 복수: 우리)
vi(2인칭 단수 및 복수: 너(너희들), 당신(들))
li(3인칭 단수 남성: 그), ŝi(3인칭 단수 여성: 그녀),
ĝi(3인칭 단수 중성: 그것),
ili(3인칭 복수: 그들), oni(3인칭, 일반인)

낱말 분류:

(1) 기본어: 915개 낱말. homo(사람), estas(있다) 등.
(2) 공식 인정어: 실용적으로 발전하는 각국어에 공통의 요소를 취해, 정리한 것으로 에스페란토 학술원(Akademio de Esperanto: 언어위원회)가 채택한 낱말. 예를 들어, oceano(대양), pacifismo(평화주의) 등.
(3) 신어(新語): 학예실용의 발전에 부응해 각국어에서 취한 실용 용어. 예를 들면 atombombo(원자폭탄), elektrono(전자), neŭtrono(중성자), fotono(광자) 등.
(4) 외래어: 그 밖의 특수한 사용 필요성이 있어, 사용자들이 우선 사용해 보고 나중에 정착된 용어. makolio(막걸리), sakeo(일본 술), getao(일본 신발) 등.

En la mondon venis nova sento,
(해석) 우리 세상 중심으로... 들어섰다... 새 정기가,
Tra la mondo iras forta voko!
(해석) 세상으로... 나아간다... 강한 부름은!
-자멘호프의 시 <희망의 찬가> 중에서.